UNION GÉNÉRALE D'ÉDITIONS
8, rue Garancière, Paris VIe

Du même auteur
dans la même série

Samedi, le rabbin se met à table, n° 1578.
Dimanche, le rabbin est resté à la maison, n° 1705.
Lundi, le rabbin s'est envolé pour Israël, n° 1803.
Mardi, le rabbin a vu rouge, n° 1891.

Diplômé de Harvard, Harry Kemelman est professeur de Lettres au State College de Boston, ville où il naquit le 24 novembre 1908.

A l'issue de la Seconde Guerre mondiale, il renonça momentanément à l'enseignement pour travailler dans l'industrie privée, mais il finit par revenir à ses élèves.

Père de deux filles et d'un garçon, il habite Marblehead, dans le Massachussets. Il boit le vin de ses propres vignes et, par ailleurs, se plaît à modeler l'argile, à faire des poteries.

Publié en 1965, On soupçonne le rabbin lui valut le Prix Edgar Poe du meilleur premier roman.

Ce succès l'encouragea à lui donner une suite en 1966 Samedi, le rabbin a jeûné, puis une autre encore en 1969 Dimanche, le rabbin est resté chez lui.

Il a publié aussi un certain nombre de nouvelles dans l'édition américaine de MYSTERE-MAGAZINE, qui ont été réunies en un volume portant le titre de la plus célèbre d'entre elles, THE NINE MILE WALK, qui figure dans plusieurs anthologies des meilleures histoires policières.

CHAPITRE PREMIER

Ils étaient seulement neuf, et, assis dans la chapelle, ils attendaient le dixième pour commencer la prière du matin. Jacob Wasserman, le vieux président de la congrégation, portait ses phylactères, et David Small, le jeune rabbin, mettait les siens. Retroussant la manche gauche de sa chemise jusqu'à l'aisselle, il plaçait la petite boîte noire qui contient les Ecritures contre le haut de son bras — près du cœur —, enroulait sept fois la bande au-dessous du coude, puis trois fois pour former sur la main la première lettre du Nom divin, et enfin autour du médius comme un anneau, celui de ses fiançailles spirituelles avec l'Eternel. Un instant plus tard, le front armé du bandeau, il répondait à l'injonction biblique : « Tu les lieras (les paroles de Dieu) comme un signe sur ta main, et elles seront un phylactère entre tes yeux. »

Les autres, drapés dans leur châle de soie à franges et coiffés de la calotte noire, discutaient par petits groupes, feuilletant distraitement leur livre de prières, comparant de temps à autre l'heure de leur montre à celle de l'horloge murale.

Allant et venant le long du couloir central sans impa-

tience comme un homme arrivé trop tôt sur un quai
de gare, le rabbin surprenait maintenant des bribes de
conversation : on parlait affaires, famille, vacances,
l'un évoquait même les chances d'une équipe de base-
ball. Curieux de la part d'hommes qui s'apprêtaient à
prier, pensa-t-il, mais il s'en voulut aussitôt. Une dévo-
tion exagérée n'est-elle pas un péché ? N'est-ce pas le
droit de tout homme de jouir des bonnes choses de
la vie, de sa famille, de son travail, de son repos ? Il
n'avait pas encore trente ans et ne pouvait s'empêcher
de se questionner, et de mettre ses propres questions
en doute.

Wasserman, qui avait quitté la chapelle, était de
retour :

— J'ai téléphoné à Abe Reich. Il sera ici dans dix
minutes.

D'un seul coup, Ben Schwarz, un petit homme replet
entre deux âges, se leva :

— Pour moi, c'est suffisant. Ce n'est pas ce salaud
qui va me faire attendre ! Je ferai ma prière chez
moi.

Wasserman eut à peine le temps de le rattraper :

— Vous n'allez quand même pas partir, Ben ? Lorsque Reich arrivera, nous ne serons que neuf...

— Je regrette, mais j'ai un rendez-vous important.

— Voyons, vous êtes venu pour dire le Kaddish en
l'honneur de votre père, et vous ne pouvez pas attendre
quelques minutes ?

Wasserman, âgé de plus de soixante ans, était l'un
des doyens de la communauté, et il avait conservé un
soupçon d'accent qu'on remarquait d'autant plus quand
il s'efforçait de prononcer un mot convenablement. Il
vit que Schwarz hésitait :

— Et moi-même, je dis également le Kaddish aujour-
d'hui.

Il s'était mis à rire, mais Wasserman n'avait pas
fini :

— Qu'avez-vous donc contre Abe Reich ? Vous étiez
une paire d'amis dans le temps. Vous n'allez pas me
dire que c'est cette histoire d'auto ? Si vous croyez
qu'il vous doit quelque chose, assignez-le en justice.

— On ne va pas en justice.

— Alors, réglez cette affaire autrement. Deux membres éminents de notre collectivité doivent pouvoir se
retrouver à la synagogue et dire leur prière dans le
même groupe. C'est une honte pour nous tous...

Il fit signe au rabbin :

— Venez donc. J'étais en train de dire à Ben que
le temple est un lieu saint, et que tous les Juifs qui
y viennent devraient se réconcilier ici même. C'est
peut-être plus important que d'y prier. Qu'en pensez-
vous ?

Le jeune rabbin rougit, et son regard incertain alla
plusieurs fois de l'un à l'autre :

— Je ne suis pas de votre avis, monsieur Wasserman. Une synagogue n'est pas tellement un lieu saint.
Le Temple de Jérusalem l'était, mais le nôtre n'est
qu'un bâtiment où l'on étudie, où l'on prie. Peut-être
s'attache-t-il un peu de sainteté à un endroit où l'on
prie ? De toute façon, régler un différend ne peut
être le fait du temple. Traditionnellement, c'est le
rôle du rabbin.

Schwarz fronça les sourcils : comment ce jeune
homme osait-il contredire le président de la communauté ? Au fond, Wasserman était son patron, et de

plus assez vieux pour être son père. Mais Jacob, les
yeux brillants, semblait au contraire s'amuser :

— Parfait, monsieur le rabbin ! Que conseillez-vous
si deux fidèles ne s'entendaient pas ?

L'autre eut un sourire timide :

— Jadis, on aurait conseillé une Din Torah, un
jugement où chacun présente son cas. Soit dit en
passant, c'était même l'une de nos fonctions princi-
pales. Dans les ghettos d'Europe, nous n'étions pas
attachés à la synagogue, mais à la ville. On ne nous
payait pas pour présider aux prières ni pour nous
occuper du temple, mais pour statuer dans les affaires
judiciaires ou sur les questions juridiques.

Intéressé malgré lui, Schwarz intervint :

— Et comment le rabbin prenait-il sa décision ?

— Il écoutait d'abord les parties comme tout autre
juge, soit seul, soit en présence de deux lettrés du
village. Il posait des questions, faisait venir des
témoins si nécessaire, puis prononçait son verdict en
se fondant sur le Talmud.

Schwarz eut un sourire :

— Je crois que cela ne nous aiderait pas beaucoup :
il s'agit d'une histoire d'auto, et le Talmud ne traite
pas des véhicules à moteur.

— Le Talmud traite de tout.

Le ton du rabbin était sans appel.

— ... Il ne mentionne pas les automobiles, naturellement, mais il règle toutes les questions de dégâts et
de responsabilités. Les situations particulières dif-
fèrent d'époque en époque, mais les principes
demeurent les mêmes.

— Dites donc, Ben, accepteriez-vous de soumettre
votre cas au rabbin ?

— A tout le monde, si vous le voulez. Et plus ils seront nombreux, mieux cela m'ira : je souhaite que toute la congrégation sache à quel point Abe Reich peut être un salaud !

— Je parle sérieusement, Ben. Vous appartenez tous deux à notre conseil de direction, et vous avez sacrifié bien des heures de votre temps à notre communauté. Pourquoi ne pas recourir à notre manière traditionnelle de régler un différend ?

Schwarz haussa les épaules :

— En ce qui me concerne...

— Et vous, monsieur le rabbin ? Seriez-vous d'accord ?

— Si M. Schwarz et M. Reich le sont, je tiendrai une Din Torah.

— Reich ne voudra jamais, dit Schwarz.

— Je suis certain qu'il acceptera, rétorqua Wasserman.

Du coup, l'intérêt de Schwarz était éveillé, devenait même de l'impatience :

— Très bien ! Quand pouvez-vous la tenir, cette Din Torah ? Et où ?

— Voulez-vous ce soir ? Dans mon bureau ?

— Entendu, monsieur le rabbin. Ce qui est arrivé, voyez-vous...

Le rabbin l'interrompit gentiment :

— Si je dois juger cette affaire, ne pensez-vous pas qu'il faut attendre que M. Reich soit présent pour me raconter votre histoire ? Disons ce soir, voulez-vous ?

Il s'éloignait déjà. Schwarz le regarda s'en aller en secouant la tête :

— Franchement, Jacob, j'ai agi comme un imbécile...

— Pourquoi donc ?

— Parce que je viens d'accepter au fond un véritable jugement et avec quel juge ?

Dans le geste qu'il fit en direction du rabbin, il mit tout le sentiment que lui inspiraient le veston mal taillé du jeune homme, ses cheveux en désordre, ses souliers poussiéreux :

— Regardez-le donc : c'est un gosse, un étudiant, je pourrais être son père, et c'est lui qui va me juger ? Un rabbin, un juge, est-ce que ça ne devrait pas être quelqu'un d'un peu plus vieux, d'un peu plus mûr, comme le disent Al Becker et quelques autres ? Et si Reich ne veut pas de cette je-ne-sais-comment-vous-l'appelez ? Que se passera-t-il, Jacob ?

— Le voici qui arrive. La prière va commencer. Et pour ce soir, ne vous en faites pas. Il y sera.

Le bureau du rabbin, au second étage, donnait sur le grand parking asphalté. Le rabbin descendait de voiture quand Wasserman arriva, et les deux hommes montèrent ensemble.

— Schwarz commençait à avoir peur, dit Wasserman. Aussi lui ai-je dit que je viendrais. Cela vous gêne-t-il ?

— Pas du tout.

— Dites-moi, monsieur le rabbin, avez-vous déjà jugé une affaire quelconque ?

— Si j'ai tenu une Din Torah ? Jamais, naturellement. Qui donc va s'adresser au rabbin pour qu'il rende justice, de nos jours, en Amérique ? Mais tranquillisez-vous, tout ira bien. Oh ! Je commence à connaître cette communauté. Ces deux hommes ont toujours été de grands amis, et je pense qu'ils sont désolés de ne plus l'être, mais trop tendus pour se réconcilier. Dans ces conditions, je devrais pouvoir trouver un terrain d'entente, à mi-chemin de chacun d'eux.

Wasserman eut un petit hochement de tête :

— Tant mieux. Je commençais à me faire du souci. Comme vous le disiez, ils ont été très longtemps amis. Je suis sûr que ce sont leurs femmes qui sont derrière cette fâcherie. Celle de Ben, Myra, c'est un vrai *kochlefel* : elle a une de ces langues.

— J'en sais quelque chose, dit tristement le rabbin.

— Schwarz est un faible, et c'est elle qui porte la culotte. Les Schwarz et les Reich étaient d'excellents voisins. Le père de Ben est mort il y a peut-être deux ans, et il lui a laissé pas mal d'argent. Oui, ce doit faire deux ans aujourd'hui puisqu'il est venu pour dire le Kaddisch. Ils ont alors déménagé à Grove Point et sont maintenant à tu et à toi avec les Beckers et les Pearlsteins, ces snobs. J'ai l'impression que Myra essaie de rompre avec ses vieux amis.

— Nous allons le savoir tout de suite, dit le rabbin. Voici l'un d'eux.

La porte du bas se referma avec un grand bruit. Puis quelques secondes plus tard, ils l'entendirent se rouvrir et se refermer. Ben Schwarz fit son entrée, avec, sur ses talons, Abe Reich. Sans doute chacun d'eux avait-il attendu pour être certain que l'autre venait. Le rabbin leur fit signe de s'asseoir à droite et à gauche du bureau.

Reich était un grand et bel homme, aux cheveux gris rejetés en arrière au-dessus d'un front élevé, avec, sur toute sa personne, une touche de dandysme : complet noir à revers étroits, poches obliques dans le style continental, pantalons presque collants sans revers. Directeur commercial d'une fabrique de souliers bon marché d'une importance nationale, il avait l'air digne et décidé, et tentait de dissimuler son embarras sous un air indifférent.

Schwarz était gêné lui aussi, ce qui l'amenait à adopter l'air réjoui du brave garçon auquel on fait une excellente plaisanterie et qui l'accepte de bon cœur. Comme Reich se penchait vers Wasserman pour lui parler, il s'adressa au rabbin en pouffant de rire :

— Alors, où en sommes-nous ? Allez-vous mettre votre robe de magistrat et allons-nous tous nous lever ? Est-ce que Jacob fait l'office de greffier ?

Le rabbin sourit. Il approcha sa chaise du bureau, d'un coup sec, pour indiquer qu'il était prêt à commencer :

— Vous savez tous pourquoi nous sommes ici, dit-il d'un ton égal. Il n'y a aucune règle de procédure. En général, les deux parties déclarent qu'elles accepteront la décision du rabbin, mais je n'insisterai pas sur ce point.

— J'accepte votre décision d'avance, dit Reich.

Pour ne pas demeurer en arrière, Schwarz déclara :

— Je n'ai certainement rien à craindre : allons-y !

— Puisque monsieur Schwarz est le plaignant, je suggère qu'il nous dise ce qui s'est passé.

— Il n'y a pas grand-chose à dire. Abe, que voici, a emprunté la voiture de Myra, ma femme, et l'a complètement abîmée, par négligence. Je dois payer un nouveau moteur. C'est tout.

— Cela semble fort simple, en effet. Mais pouvez-vous me dire dans quelles circonstances il a emprunté cette voiture. Et d'abord, est-ce la vôtre ou celle de votre femme ? Vous dites que vous allez vous-même payer le moteur...

Schwarz eut un sourire :

— C'est ma voiture dans le sens que c'est moi qui l'ai payée. C'est celle de ma femme, parce que normalement, c'est elle qui s'en sert. C'est une Ford 68, décapotable. Moi, j'ai ma Buick.

— 68 ? C'est pratiquement une voiture neuve. Elle est donc sous garantie.

— Vous plaisantez, monsieur le rabbin. Aucun revendeur n'accepte la responsabilité d'un dégât dû à la négligence de l'acheteur. J'ai acheté la voiture chez Becker Motors, et ce sont des gens sérieux, mais quand je me suis adressé à Al Becker, il m'a vraiment fait comprendre que j'étais tombé sur la tête.

— Continuez, dit simplement le rabbin.

— Eh bien, nous sommes quelques-uns à toujours sortir ensemble : soirées au théâtre, promenades en auto, etc. Tout a commencé jadis quand nous habitions les uns à côté des autres. Depuis, plusieurs ont déménagé, mais nous continuons à nous voir une fois par mois environ. Il y a eu une partie de skis à Belknap dans le New Hampshire. Les Albert y sont allés avec les Reich dans leur conduite intérieure. Moi, j'ai pris la Ford, et nous avions avec nous Sarah Weinbaum, une veuve. Depuis la mort de son mari, nous essayons de la faire participer à tout ce que nous faisons.

Nous sommes partis tôt le vendredi après-midi. Il y a environ trois heures d'auto, si bien que nous avons fait un peu de ski avant la tombée de la nuit. Le samedi, nous sommes tous sortis, sauf Abe, que voici : il avait attrapé un mauvais rhume, était tout enchifrené et toussait.

Et puis, samedi soir, Sarah a reçu un coup de téléphone de ses enfants, deux fils âgés de quinze et de dix-sept ans : ils avaient eu un accident d'automobile, rien de grave. Bobby s'en était sorti avec une éraflure et Myron, l'aîné, avec deux points de suture. Mais Sarah était bouleversée et a voulu rentrer chez elle, ce qui semble assez normal vu la circonstance. Puisqu'elle était venue avec nous, je lui ai offert de prendre notre voiture. Toutefois il était tard, il y avait du brouillard, Myra n'a pas voulu qu'elle parte seule, et Abe a proposé de l'y conduire.

— Etes-vous d'accord avec ce qui vient d'être dit, monsieur Reich ? demanda le rabbin.

— C'est bien ce qui s'est passé.

— Continuez, monsieur Schwarz.

— Lorsque nous sommes rentrés dimanche soir, notre voiture n'était pas au garage, ce qui ne m'a guère troublé, car il était évident qu'Abe n'allait pas déposer l'auto chez moi pour rentrer à pied chez lui. Le lendemain matin, je suis parti avec ma Buick, et ma femme lui a téléphoné pour récupérer la Ford. C'est alors qu'il lui a dit...

— Un instant, s'il vous plaît, monsieur Schwarz. J'estime que vous ne pouvez pas aller plus loin : à partir de maintenant, c'est votre femme qui parle, et non plus vous, n'est-ce pas ?

— Vous avez dit qu'on ne suivrait pas les règles de la procédure...

— Sans doute. Mais puisque nous voulons récapituler toute l'histoire, il serait préférable de laisser parler désormais M. Reich, ne serait-ce que par souci d'ordre chronologique.

— Comme vous le voudrez.

— A vous, monsieur Reich.

— Tout s'est passé comme Ben l'a dit. J'ai raccompagné Mme Weinbaum. Il faisait sombre et il y avait du brouillard, mais nous avons roulé à une bonne vitesse. Nous allions arriver quand la Ford est tombée en panne. Heureusement, une voiture de police passait, les policiers ont avisé un garage d'où l'on est venu nous prendre en remorque. Il était déjà plus de minuit, si bien qu'il n'était pas question de nous dépanner immédiatement. J'ai fait venir un taxi au garage. En arrivant chez Mme Weinbaum, la maison était vide, et elle s'est aperçue qu'elle avait oublié ses clés.

— Comment êtes-vous entrés ?

— Elle m'a dit qu'une des fenêtres n'était que poussée et qu'on l'atteignait facilement en grimpant sur le porche. Ce n'était pas à elle de le faire, et quant à moi, je me sentais si mal que je n'aurais pu monter même un escalier. Le chauffeur était un jeune homme, mais il avait une jambe « amochée », d'après ce qu'il nous a dit. Je crois plutôt qu'il a eu peur de participer à un cambriolage. Nous l'avons envoyé chercher un policier. Au moment où ils arrivèrent, voici que les deux garçons survinrent : ils étaient allés au cinéma, simplement. Le soulagement de Mme Weinbaum a été tel qu'elle a oublié de me remercier et qu'elle a disparu à l'intérieur avec ses fils en me laissant le soin d'expliquer l'histoire au policier.

Schwarz, sentant percer la critique, intervint :

— Sarah devait être bouleversée ; elle est en général extrêmement attentionnée.

Sans relever l'interruption, Reich poursuivit :

— L'agent n'a rien dit, mais il me regardait de l'air soupçonneux qu'ils ont tous. Et moi, j'avais le nez

complètement bouché, je pouvais à peine respirer,
j'avais mal partout et certainement une grosse fièvre.
Je suis resté couché le dimanche et dormais encore
quand ma femme est revenue de Belknap, si bien que
je ne l'ai même pas entendue. Lundi matin, je me
sentais si mal que j'ai décidé de ne pas aller au bureau.
C'est Betsy, ma femme, qui a répondu à Myra au téléphone. Elle m'a réveillé ; je lui ai dit ce qui était arrivé
et lui ai donné le nom du garage. Dix minutes plus
tard, le téléphone sonnait de nouveau : Myra voulait
absolument me parler. Je me suis levé pour m'entendre
dire que, d'après le garage, j'avais complètement abîmé
sa voiture en roulant sans huile : le moteur était fichu,
c'était moi le responsable, etc., etc. Elle a été très
désagréable, et comme je me sentais toujours mal, je
lui ai dit qu'elle pouvait faire ce qu'elle voulait, et
j'ai raccroché pour me recoucher aussitôt.

Du coin de l'œil, le rabbin interrogea Schwarz.

— D'après ma femme, il ne se serait pas contenté
de l'envoyer poliment au diable, mais enfin, à peu de
chose près, tout doit s'être passé comme cela.

Le rabbin fit pivoter son fauteuil, puis glisser la
vitre de la bibliothèque placée derrière lui. Il étudia
un instant les différents titres, et prit un livre. Schwarz
rit ouvertement en s'adressant à Wasserman, et la
bouche de Reich s'amincit pour réprimer un sourire.
Le rabbin tournait les pages, oubliant manifestement
tout le reste. Il s'arrêtait çà et là, hochant la tête, se
frottant parfois le front comme pour se stimuler le
cerveau. Il marqua une première page avec une règle,
une seconde avec un presse-papiers. Enfin il saisit un
autre livre et, sans hésiter trouva le passage qu'il
cherchait :

— Il y a dans cette affaire certains points qui ne sont pas très clairs. Par exemple, j'ai noté que vous, monsieur Schwarz, m'avez parlé de Sarah, que M. Reich nomme Mme Weinbaum. Dois-je en conclure à une plus grande réserve chez M. Reich, ou au fait qu'elle est surtout votre amie ?

Comme Schwarz hésitait, ce fut Reich qui prit la parole :

— Elle faisait partie de notre groupe ainsi que son mari. Mais nous avons fait leur connaissance par Ben et Myra. J'estime qu'elle est plus leur amie que la nôtre.

Le rabbin n'avait pas lâché Schwarz des yeux :

— Voilà pourquoi vous l'avez emmenée dans votre voiture pour aller skier ?

— Disons plutôt que ça s'est arrangé comme ça. Pourquoi cette question ?

— J'ai l'impression qu'elle était surtout votre invitée, et que vous vous sentiez responsable de sa présence. Plus que M. Reich...

Wasserman se pencha en avant, soudain intéressé, et Schwarz admit comme malgré lui :

— Sans doute.

— En reconduisant Mme Weinbaum chez elle, M. Reich ne vous rendait-il pas une sorte de service ?

— Il s'en rendait un à lui-même : il avait un sale rhume et désirait rentrer.

— En a-t-il fait part à quelqu'un avant que Mme Weinbaum ait reçu le coup de téléphone ?

— Non, mais nous savions tous qu'il en avait envie.

— Sans ce coup de téléphone, vous aurait-il emprunté votre voiture ?

— Je ne le crois pas.

— Alors, nous devons partir du principe qu'en reconduisant Mme Weinbaum dans votre voiture, il vous rendait service, quels que fussent les avantages qu'il en tirait.

— Je ne vois pas que ça change quelque chose à l'affaire.

— Il y a une différence : dans un cas, il a emprunté votre voiture ; dans l'autre, il a agi comme votre agent. En tant qu'emprunteur, il lui incombe de vous la rendre dans l'état où il l'avait prise, ou bien il doit prouver qu'il existait chez elle un défaut caché et qu'il n'a commis par conséquent aucune négligence. Mieux encore, il devait s'assurer de la bonne marche de la Ford au moment d'en accepter le prêt. Mais s'il a agi comme votre agent, il vous appartient d'établir que votre voiture était en parfait état et qu'il a été négligent.

Wasserman eut un sourire, mais Schwarz protesta :

— Dans les deux cas, il a fait preuve d'une négligence grossière. Il n'y avait pas une goutte d'huile dans le carter, et le garagiste peut le confirmer.

— Comment pouvais-je savoir qu'il n'y avait pas d'huile ?

Jusqu'alors, les deux hommes ne s'étaient adressés qu'au rabbin. Schwarz se tourna vers Reich et lui fit face :

— Tu t'es arrêté pour prendre de l'essence, n'est-ce pas ?

— Oui. En entrant dans la voiture, j'ai remarqué que le réservoir était aux trois quarts vide, et après avoir roulé une heure, je me suis arrêté à une station et j'ai fait le plein.

— Mais tu n'as pas demandé qu'on vérifie le niveau d'huile !

— Pas plus que la quantité d'eau du radiateur, ou
celle de la batterie, ou la pression des pneus. J'avais à
côté de moi une femme nerveuse, hystérique, qui trouvait que nous perdions déjà du temps à mettre de
l'essence. Pourquoi aurais-je tout vérifié ? Cette voiture
était pratiquement neuve ; ce n'était pas un rossignol
acheté n'importe où.

— Mais Sarah a affirmé à Myra qu'elle t'a prévenu
au sujet de l'huile.

— Oui, après avoir fait une douzaine de kilomètres.
Je lui ai demandé pourquoi, et elle m'a dit qu'à l'aller
tu avais ajouté deux litres. Je lui ai répondu : « Dans
ce cas, il y en a certainement assez. » Puis elle s'est
assoupie et ne s'est réveillée qu'au moment où nous
sommes tombés en panne.

— A mon avis, quand on fait un parcours assez
long, on vérifie l'eau et l'huile chaque fois qu'on
s'arrête.

— Un instant, monsieur Schwarz, un instant...

Le rabbin semblait de plus en plus sûr de lui :

— Je ne suis pas un mécanicien professionnel, mais
je ne comprends pas pourquoi une voiture neuve aurait
besoin de deux litres d'huile pour faire quelques centaines de kilomètres.

— Il y avait une petite fuite au joint de culasse,
mais rien de sérieux. Je m'en suis aperçu en voyant des
gouttes d'huile sur le sol du garage. J'ai averti le vendeur, Al Becker. Il m'a dit qu'il allait s'en charger,
mais que je pouvais continuer à rouler jusqu'au
moment où je passerais devant chez lui.

Le rabbin regarda Reich comme s'il attendait un
mot de sa part, puis se renversa en arrière sur son
fauteuil tournant et réfléchit longuement. Finalement,

il se redressa et tapota du doigt les deux livres qui
attendaient sur son bureau :

— Des trois volumes du Talmud, deux sont consacrés à ce que nous appellerions aujourd'hui les « pré-
judices », et ce sujet y est traité de façon exhaustive.
Le premier volume considère les causes générales :
il y a quarante pages, par exemple, sur ce qui peut
advenir avec un bœuf qui blesse quelqu'un d'un coup
de corne. Il s'en dégage un principe que les rabbins
ont appliqué à tous les cas : c'est la distinction clas-
sique entre *tam* et *muad*, c'est-à-dire entre l'animal
docile et celui qui a déjà la réputation d'une bête
vicieuse toujours prête à donner un mauvais coup.
Le propriétaire d'un bœuf dangereux était considéré
comme plus responsable que celui d'un bœuf paisible,
du fait qu'il aurait dû prendre des précautions
spéciales...

Il s'arrêta et jeta un coup d'œil interrogateur sur
Wasserman qui l'approuva de la tête.

— Revenons à votre cas. Vous saviez que votre
voiture perdait de l'huile, et en roulant elle devait
en perdre davantage qu'à l'arrêt, puisque vous avez
éprouvé le besoin d'en ajouter deux litres à l'aller. Si
M. Reich avait été simplement un emprunteur — et
nous arrivons maintenant au volume qui traite des
cas d'emprunt et de mandat — s'il vous avait dit par
exemple qu'il ne se sentait pas bien, qu'il avait besoin
de votre Ford pour rentrer chez lui, il devait vous
interroger sur l'état du véhicule, ou bien le contrôler
lui-même. Toutes choses étant égales par ailleurs, y
compris la panne, sa responsabilité était engagée en
ce qui concernait les dégâts. Mais nous avons établi un
point : il n'était pas un simple emprunteur, il a agi

comme votre agent, comme votre mandataire, et c'est
vous qui deviez le prévenir que la voiture perdait de
l'huile et qu'il fallait en surveiller le niveau.

Schwarz l'interrompit :

— Une minute, monsieur le rabbin, une minute s'il
vous plaît. Je n'avais pas à le prévenir. Il existe un
dispositif lumineux pour cela. Lorsqu'on conduit, il
est naturel qu'on surveille son tableau de bord. S'il
l'avait fait, il aurait aperçu cette lumière rouge.

Le rabbin hocha la tête :

— C'est un bon argument. Qu'en dites-vous, monsieur Reich ?

— En effet, je l'ai aperçue. Mais nous étions en
pleine campagne, sans une station d'essence en vue,
et avant d'en trouver une, nous sommes tombés en
panne.

— Selon le garagiste, on devait sentir depuis longtemps une odeur de brûlé.

— Pas avec son rhume et ses deux narines bou-
chées. Et quant à Mme Weinbaum, elle s'était assoupie,
n'est-ce pas ? Voyez-vous, monsieur Schwarz, M. Reich
a agi comme l'aurait fait tout conducteur normal dans
les mêmes circonstances. On ne peut l'accuser de négligence, et, par conséquent, il n'est pas responsable.

Son ton indiquait clairement qu'il ne reviendrait pas
sur son jugement. Reich fut le premier à se lever :

— Votre manière de traiter l'affaire a été une révé-
lation pour moi, monsieur le rabbin.

Il s'était tourné vers Schwarz, attendant un geste
de réconciliation, mais l'autre demeurait assis, la tête
basse, se frottant les mains comme pour réprimer sa
contrariété. Après un instant, Reich remercia de nou-

veau le rabbin et prit congé ; arrivé à la porte, il
s'adressa à Wasserman :

— Je n'ai pas vu votre voiture dans le parking,
Jacob. Est-ce que je vous ramène ?

— En effet, je suis venu à pied. Mais si vous pouvez
me prendre avec vous, cela m'arrangera.

— Je vous attends en bas.

Schwarz ne releva la tête qu'une fois la porte
refermée. Indiscutablement, il était profondément
blessé :

— Je me suis sans doute trompé sur le sens de
cette réunion, monsieur le rabbin, à moins que ce soit
vous. Je vous ai dit, ou j'ai essayé de vous faire
comprendre, que je ne voulais pas porter plainte
contre Abe. Après tout, je suis plus à l'aise que lui
et peu m'importe le prix de la réparation. S'il m'avait
offert d'en régler une partie, j'aurais refusé, et nous
serions restés bons amis. Au contraire, il a envoyé
paître ma femme. Que peut faire un mari dans un
cas pareil ? Evidemment, elle a dû exagérer, et je
comprends maintenant qu'il ait réagi comme il l'a fait...

— Eh bien, pourquoi...

— Non, non, monsieur le rabbin. J'espérais que
cette réunion nous amènerait à une sorte de compromis, de rapprochement. Mais vous l'avez complètement
justifié, ce qui équivaut à dire que tous les torts sont
de mon côté. Or, je ne me sens pas coupable. Qu'ai-je
fait, après tout ? Des amis veulent rentrer rapidement
chez eux, et je leur prête ma voiture. Ai-je eu tort ?
Voyez-vous, j'ai l'impression que vous avez été plus
son avocat que notre juge. Vous avez dirigé toutes
vos questions, toute votre argumentation, contre moi.
Je n'ai fait aucune étude juridique, et je ne peux pas

voir de faille dans votre raisonnement, mais je suis
sûr que si j'avais eu avec moi un avocat, il l'aurait
vue. De toute façon, nous serions arrivés à un
compromis.

— Nous avons fait beaucoup mieux, dit le rabbin.

— Comment ? Vous l'avez justifié, et j'en suis de
ma poche pour plusieurs centaines de dollars.

Le rabbin eut un sourire :

— Je crains que vous n'ayez pas totalement saisi le
sens de vos deux témoignages. Il est exact que
M. Reich n'a commis aucune négligence, mais cela ne
fait pas de vous, automatiquement, un coupable.

— Je ne comprends plus.

— Récapitulons : vous avez acheté une voiture dont
le point de culasse fuit. Vous prévenez le fabricant
de ce défaut par l'intermédiaire de son agent,
M. Becker. Il est vrai que ce défaut était minime et
que ni vous ni M. Becker ne pouviez imaginer qu'il
allait s'aggraver rapidement. Il n'a pas pensé qu'un
long parcours constituerait justement cette circonstance aggravante, sans quoi il vous en eût prévenu, et
vous n'auriez pas pris cette voiture pour vous rendre
au New Hampshire. Le fait est que pendant un parcours prolongé et rapide, le joint s'est distendu, si
bien que vous avez été obligé d'ajouter deux litres
d'huile. Mais, dans des conditions semblables, le fabricant ne peut exiger de vous que la prudence normale
avec une voiture presque neuve. Et si vous jugez, vous
aussi, que M. Reich n'a rien fait d'autre que ce qu'aurait fait un conducteur normalement prudent...

Le visage de Schwarz s'était animé :

— Alors, c'est la faute du fabricant. C'est cela que
vous voulez dire, monsieur le rabbin ?

— Exactement. Mon opinion est que le fabricant est responsable et que sa garantie couvre l'accident.

— Mais cela change tout ! Je suis sûr que Becker va le comprendre. De toute façon, ce n'est pas lui qui paiera ! Alors, tout est arrangé maintenant ! Monsieur le rabbin, j'ai peut-être dit un mot qui vous a choqué...

— C'était naturel.

Du coup, Schwarz voulait emmener tout le monde prendre un verre, mais le rabbin refusa fermement :

— Un autre soir, peut-être. En feuilletant ces livres, je suis tombé sur un ou deux points qui m'intéressent, rien qui ait rapport à notre affaire, mais j'aimerais les vérifier pendant que j'y pense.

En descendant l'escalier, Wasserman ne put s'empêcher de demander à Schwarz :

— Que pensez-vous de notre nouveau rabbin, maintenant ?

— C'est un gars formidable !

— Oui, un vrai *gaon*.

— Je ne sais pas ce qu'est un *gaon*, Jacob, mais puisque vous le dites, je suis prêt à le croire.

— Qu'allez-vous faire avec Abe ?

— Entre vous et moi, Jacob, c'est une histoire de Myra. Vous savez comment sont les femmes dès qu'elles croient perdre quelques dollars...

De sa fenêtre, le rabbin regarda un instant les trois hommes discuter dans le parking : l'atmosphère était indiscutablement à la réconciliation. Avec un sourire, il retourna à son bureau, s'y assit, rapprocha de lui la lampe et les deux livres, et se mit à lire.

CHAPITRE II

Elspeth Bleech, allongée sur le dos, voyait le plafond se balancer lentement d'un côté à l'autre, à tel point qu'elle s'accrocha aux couvertures comme si elle craignait de tomber du lit. Le réveil venait de la tirer du sommeil, mais quand elle s'était redressée, le vertige l'avait saisie tandis que sa tête retombait lourdement sur l'oreiller.

Le soleil d'une magnifique journée de juin filtrait par les fentes de la persienne vénitienne. Bien qu'elle tînt les yeux fermés pour combattre la nausée, le lit continuait à rouler sous elle et son front était trempé de sueur malgré la fraîcheur du matin.

Un effort de volonté la mit debout. Sans chausser ses pantoufles, elle eut juste le temps de courir à la minuscule salle de bains. En revenant, elle se sentait mieux et s'assit sur le bord du lit en s'essuyant le visage. Mais déjà on frappait à sa porte et des voix d'enfants, celles d'Angelina et de Johnnie, s'élevaient :

— Elspeth, Elspeth, viens nous habiller ! On veut sortir...

— Je viens tout de suite, Angie. Remontez et jouez

en m'attendant. Jouez sans faire de bruit, surtout.
Sans quoi vous allez réveiller papa et maman...

Heureusement, ils obéirent aussitôt, et elle eut un
soupir de soulagement. Après avoir bu une tasse de
thé et mangé deux toasts, elle passa rapidement une
robe, enfila ses chaussons.

Depuis quelque temps, ses nausées matinales s'aggra-
vaient, devenaient plus fréquentes. Hier, elle avait cru
que c'étaient les raviolis que Mme Serafino lui avait
fait manger la veille. Peut-être ferait-elle bien d'en
parler à son amie, Celia Saunders, qui, plus âgée,
saurait que faire ? Mais il faudrait alors décrire exactement les symptômes, et quelque chose lui faisait pres-
sentir que sa maladie avait une cause différente, qu'il
était préférable de cacher.

Dans la chambre au-dessus de la sienne, les enfants
commençaient à faire du bruit. Il fallait se hâter,
éviter que Mme Serafino la vît déshabillée, sans un
peu de rouge aux joues. Avant de passer son uniforme
blanc, elle se regarda longuement dans la glace : non,
elle n'avait pas grossi. Au moment de sortir de sa
chambre, un dernier coup d'œil à elle-même la rassura.
Et en admettant que ce fût « ça », la chose pouvait
tourner à son avantage. De toute façon, il fallait en
être sûre : une visite au médecin s'imposait, soit
aujourd'hui jeudi, soit à son prochain jour de congé.

— Et pourquoi n'avez-vous pas demandé au rabbin
d'écrire aussi la lettre à la société Ford ? s'exclama
Al Becker, un petit homme robuste avec un torse
puissant sur deux jambes courtes et épaisses. Entre
un nez et un menton proéminents, batailleurs, un bout
de cigare noir pointait hors d'une bouche aux lèvres

minces, tordue dans un ricanement de défi. Ses yeux
ressortaient comme deux billes de marbre bleu.

Ben Schwarz était arrivé porteur d'heureuses nouvelles. Il avait cru que son ami Al serait enchanté
d'apprendre que la Société Ford était responsable et
qu'il n'aurait rien à payer pour une réparation qui
s'annonçait fort coûteuse. Mais Becker n'avait pas
réagi comme il l'attendait. Evidemment, lui non plus
n'aurait aucun frais, mais que d'ennuis, quelle corres-
pondance en perspective !

— Et comment se fait-il qu'un rabbin s'occupe de
ça ? Enfin, Ben, tu es un garçon raisonnable : est-ce
que ça fait partie de ses fonctions à la synagogue ?

— Mais tu ne comprends pas, Al. Il ne s'est pas agi
des réparations de la voiture...

— Et alors, bon Dieu ?

— Evidemment, on en a parlé. Il a entendu dire
que j'étais furieux contre Abe, et il a organisé une
Din Torah.

— Une quoi ?

— Une Din Torah : c'est quand les deux parties
vont voir le rabbin et lui demandent de statuer selon
le Talmud.

— C'est la première fois que j'entends parler de ça.

— Eh bien, j'étais comme toi. Nous sommes allés
chez lui, Abe, moi, et Wasserman, ce dernier comme
une sorte de témoin, sans doute. Et il en ressort que
ni Abe ni moi n'avons été négligents. Et alors, bon
Dieu ! si le conducteur de la voiture n'a pas fait
preuve de négligence, et moi non plus, c'est que la
voiture avait un défaut, et que Ford doit payer.

— Et moi je te dis, sacré nom de Dieu, que Ford ne
paiera que si je lui dis de le faire, et je ne me vois

pas allant lui réclamer quelque chose en me fondant sur une histoire à dormir debout !

La voix de Becker n'était jamais un murmure, mais quand il était furieux elle devenait un rugissement. Schwarz parut soudain déconcerté :

— Mais il y avait une fuite, je t'ai prévenu.

— Parlons-en : trois gouttes par semaine ! Est-ce que ça peut bousiller un moteur ?

— Soit, trois gouttes à l'arrêt, au garage. Mais ça a pris d'autres proportions en roulant. J'ai mis deux litres d'huile à l'aller ; deux litres, c'est pas trois gouttes, autant que je sache !

La porte du bureau s'ouvrit. Melvin Bronstein, l'associé de Becker, apparut. C'était un homme encore jeune, aux cheveux noirs ondulés et à peine argentés aux tempes, avec un nez aquilin et des lèvres sensuelles :

— Qu'est-ce qui se passe ? Est-ce une question privée ou puis-je apporter mon grain de sel ? Je parie qu'on vous entend à deux blocs d'ici.

Une fois de plus, Becker explosa :

— Il se passe que nous avons engagé à la synagogue un rabbin qui se mêle de tout, sauf de son boulot !

Quelques minutes plus tard, Bronstein était au courant. Pendant que Schwarz discourait, Becker s'était assis à son bureau dans un grand bruit de paperasses. De loin, Bronstein lui fit signe de passer dans la pièce voisine tandis que Schwarz s'éloignait de deux pas par discrétion.

— Ben est un bon client, chuchota Bronstein. Je ne pense pas que la société en fera une histoire.

— Mais moi, hurla Becker, j'ai travaillé avec Ford avant que tu sortes du lycée, Mel.

Bronstein connaissait bien son associé. Il se mit à rire :

— Ecoute, Al. Si tu refuses à Ben, tu auras affaire à sa femme, Myra. Et cette année, elle est la présidente de la communauté religieuse féminine.

De loin, Ben ne put s'empêcher d'intervenir :

— Et elle l'était déjà l'année dernière !

— Je m'en fous. La communauté religieuse féminine n'achète pas de voitures !

— Oui, mais elles ont des maris qui en achètent.

— Mais nom de Dieu, Mel, comment vais-je expliquer à la société qu'elle doit remplacer un moteur parce que le rabbin l'a décidé ?

— On n'a pas besoin de mentionner le rabbin. On n'a même pas besoin de fournir des explications. Il suffit d'affirmer que la culasse s'est fendue pendant que la voiture roulait.

— Et s'ils envoient un expert ?

— As-tu reçu la visite d'un seul expert de chez Ford depuis que tu es installé ici ?

— C'est arrivé à d'autres.

— Eh bien, dit Bronstein en riant, tu l'expédieras chez ton rabbin.

D'un seul coup, Becker changea de registre. Il s'éclaircit deux ou trois fois la gorge.

— Tu as gagné, Ben. J'écrirai à Ford pour qu'ils fassent le nécessaire. Mais si j'écris, c'est à cause de Mel, que tu as réussi à apitoyer. Il a un cœur grand comme une maison...

— Allons donc ! Tu aurais marché dès le début si Ben n'avait pas mentionné le rabbin.

— Qu'as-tu donc contre lui ? demanda Ben.

— Ce que j'ai...

Il ôta son cigare de sa bouche.

— Ce que j'ai ? Eh bien, c'est qu'il ne vaut rien, ce rabbin. Si on le paye, c'est pour qu'il nous représente. Est-ce que tu le prendrais comme vendeur chez toi, Ben ? Dis-moi la vérité.

— Pourquoi pas ? dit Ben, mais son ton manquait de conviction.

— Et tu le foutrais à la porte aussitôt.

— Qu'a-t-il fait de mal ?

— Voyons, Ben, te rappelles-tu quand nous avons eu ce déjeuner annuel « Père et Fils » et que nous avions fait venir Barney Gilligan, le héros de l'équipe de base-ball Red Sox, pour entretenir les gosses ? Qu'a-t-il fait, ton rabbin, au lieu de le présenter ? Il a tenu un long discours pour démontrer que nos vrais héros sont des lettrés et non des athlètes. Je me serais enfoncé dans le plancher, de honte...

— Evidemment...

— Et quand ta femme l'a invité pour demander aux membres de la communauté féminine d'être généreuses en vue de la Chanukah et de faire des dons à la synagogue, il leur a déclaré que l'important était de garder le judaïsme dans son cœur, et qu'un foyer kosher valait mieux pour une femme juive que de faire campagne au profit du temple, et...

— Un instant, Al. Je ne veux pas attaquer Myra, mais ce qui est vrai est vrai. Il y avait un lunch, et Myra a servi un cocktail aux crevettes, ce qui est loin d'être kosher. Et tu ne peux pas reprocher à un rabbin de le remarquer.

Bronstein fit un clin d'œil à Schwarz :

— Et malgré toutes ces histoires, tu essaies de me convaincre qu'il faut que je m'inscrive à la synagogue, mon pauvre Al.

Une fois de plus, Becker explosa :

— Certainement. En tant que Juif et habitant de Barnard's Crossing, tu dois à toi-même et tu dois à ta communauté d'être un membre actif ! Quant à ce rabbin, il ne sera pas toujours avec nous, crois-moi...

CHAPITRE III

Pour ses réunions dominicales, le conseil d'administration utilisait une classe vide. Jacob Wasserman, président de la communauté et du conseil d'administration, s'était installé confortablement à la chaire professorale. Les autres — une quinzaine —, recroquevillés derrière les pupitres trop petits, essayaient d'étendre leurs jambes dans les passages. Plus jeunes que Wasserman, habillé d'un complet léger gris foncé, ils portaient l'uniforme d'été de Barnard's Crossing : pantalon avec chemisette de sport ou sweater de golf.

Par la fenêtre ouverte entrait le ronronnement de la tondeuse de Stanley, le concierge. De la salle de réunion du bas montait le chant aigu des enfants. Il n'y avait aucun formalisme parmi les membres et chacun prenait la parole comme il l'entendait. Le président donna trois coups de règle sur la table :

— Que disiez-vous, Joe ?

— Je me demandais comment on pouvait discuter sérieusement dans ce vacarme. Pourquoi n'utilise-t-on pas le petit sanctuaire ?

Une voix s'éleva :

— Ce n'est pas à l'ordre du jour : aujourd'hui, on traite la bienfaisance.

— Et la bienfaisance bien ordonnée ne commence pas par nous, peut-être...

— Messieurs, messieurs, aussi longtemps que je serai président, tout le monde pourra dire ce qu'il veut, mais à son tour. Et si nous n'utilisons pas le sanctuaire, Joe, c'est simplement parce qu'il n'y a pas de table pour le secrétaire. Toutefois, si vous en décidez ainsi, on dira à Stanley d'y mettre une table, et on abandonnera la salle de classe.

— A propos de Stanley, que vont dire les Chrétiens, nos voisins, en voyant que nous faisons travailler l'un des leurs le dimanche ?

— Descendez Vine street, et vous allez tous les voir en train de tondre leur gazon et de couper leurs haies. A moins qu'ils ne repeignent leur bateau.

Wasserman intervint :

— Joe a raison. Naturellement, si Stanley refusait, nous n'insisterions pas. Il faut qu'il travaille ici le dimanche puisqu'il y a classe, mais peut-être pourrait-il se tenir à l'intérieur. N'oublions pas toutefois qu'il organise son travail à sa guise. S'il est dehors, c'est parce qu'il le veut.

— On pourrait nous le reprocher.

— Ce n'est plus que pour quelques semaines. Pendant les vacances, il a congé le dimanche.

Wasserman sembla hésiter un instant, puis consulta du regard l'horloge murale suspendue au fon de la classe :

— Nous aurons encore quelques réunions avant l'été, mais je pense que nous devons nous occuper tout de suite du contrat du rabbin.

— Pourquoi donc, Jacob ? Il ne s'achève qu'après les grandes vacances.

— C'est exact. C'est d'ailleurs la coutume, si bien qu'il y a toujours un rabbin pour les services d'été. Mais si la congrégation désire changer de ministre ou si lui-même décide de s'en aller, il est bon d'avoir du temps devant soi. Voilà pourquoi on traite généralement cette question avant les vacances. Je pense que nous pourrions voter immédiatement la prolongation de son contrat pour une année de plus et lui écrire pour l'en prévenir.

— Pourquoi ? Il cherche donc quelque chose d'autre ? Il vous a parlé du renouvellement du contrat ? Est-ce que ce n'est pas lui qui devrait nous envoyer une lettre ?

— Je crois qu'il se plaît ici et qu'il veut bien y rester. Quant à la lettre, c'est l'employeur qui en prend généralement l'initiative. J'estime également que nous devrions l'augmenter, disons de cinq cents dollars.

— Monsieur le Président...

C'était la voix dure d'Al Becker, le vice-président. Penché en avant, les poings appuyés sur son pupitre, il soulevait son torse énorme :

— Je pense que nous avons eu beaucoup de frais, avec cette synagogue neuve et tout le reste. Cinq cents dollars cela me semble beaucoup. Et il n'a été ici qu'un an.

— N'est-ce pas justement le moment de lui accorder cette augmentation, après un an ? Cela ne fait jamais que cinq pour cent de ses appointements.

Tout le monde s'en mêlait. Wasserman frappa la table de sa règle.

— Monsieur le Président...

Al Becker revenait à la charge.

— Meyer vient de proposer de remettre la question à notre prochaine réunion. Je suis d'accord. Cinq cents dollars d'augmentation, dix mille dollars d'appointements, ce sont des sommes, et nous avons pris l'habitude, quand il s'agit d'importantes questions d'argent, de prendre une semaine de réflexion. D'autre part, nous ne sommes pas très nombreux et atteignons juste le quorum. Je propose que Lennie convoque tout le monde avec, à l'ordre du jour : discussion d'un point important.

Une fois de plus, ce fut le tumulte. Wasserman eut du mal à rétablir l'ordre :

— Est-ce à dire que vous êtes d'accord pour remettre la discussion à la semaine prochaine ?

— Pourquoi pas ? Il ne va pas se sauver, le rabbin !

— Par respect pour lui, nous devons être plus nombreux.

— Entendu. Nous en discuterons dimanche prochain. Je crois que l'ordre du jour est épuisé. Quelqu'un a-t-il encore quelque chose à ajouter ?

Il attendit un instant.

— La séance est levée.

CHAPITRE IV

Ce mardi-là, le temps fut beau et agréable, et Elspeth Bleech et son amie Célia Saunders, gouvernante des enfants Hopkins qui habitaient quelques maisons plus loin, se rendirent au parc, un carré de gazon pelé à quelques blocs au-delà de la synagogue. La promenade ressemblait plutôt à un rodéo de chevaux sauvages, mais Johnnie Serafino était encore tout petit, et Elspeth emmenait toujours la poussette.

Elles faisaient une vingtaine de mètres, puis s'arrêtaient pour rassembler les enfants éparpillés, séparer deux combattants, leur faire abandonner le trésor trouvé dans le ruisseau ou dans un tas de détritus.

Célia tentait de persuader son amie de passer le jeudi avec elle, à Salem :

— Il y a des soldes chez Adelson et j'ai besoin d'un maillot de bain. Nous pourrions prendre le car d'une heure.

— J'ai l'intention d'aller à Lynn. Je ne me sens pas très bien depuis quelque temps, et je voudrais voir un docteur. Peut-être me conseillera-t-il un fortifiant.

— Tu n'as pas besoin de fortifiant. Ce qu'il te faut, c'est un peu d'exercice et de repos. Accompagne-moi

donc à Salem et, après avoir fait quelques courses,
nous irons au ciné. On mangera quelque chose, puis on
ira jouer au bowling. Le jeudi soir, il y a des quantités
de types très bien au bowling, et on s'y amuse. Et pas
un geste, pas un mot déplacés !

— Je n'en doute pas, Célia. Mais je suis fatiguée
l'après-midi, et, le matin, je me sens comme si j'avais
la tête vide...

— Naturellement, tu ne dors pas assez ! Comment
peux-tu tenir en restant debout jusqu'à deux ou trois
heures du matin six nuits par semaine ? Je ne connais
pas d'autre gouvernante qui n'ait pas son dimanche
libre. Les Serafinos profitent de toi. Ils te tuent de
travail.

— Oh ! J'ai bien assez de sommeil, et je ne reste pas
le soir à les attendre. La vérité est que je n'aime pas
me déshabiller quand je suis seule le soir avec les
enfants. Je m'allonge simplement sur le divan. Mais je
fais la sieste l'après-midi. Quant au dimanche, c'est
le seul jour qu'ils ont pour rendre visite à leurs amis,
et Mme Serafino m'a dit que si je voulais en prendre
un, je n'avais qu'à la prévenir. Et M. Serafino a proposé
de me conduire en voiture à l'église, car les autobus
sont pleins ce jour-là.

Célia s'arrêta net pour la regarder en face :

— Dis-moi, il n'a pas essayé de..., non ?

— De quoi ?

— Oui, lorsque sa femme n'est pas là ? Je n'ai pas
grande confiance dans ces propriétaires de boîtes de
nuit, et je n'aime pas la manière dont il regarde les
filles.

— Il ne m'a pas dit deux mots depuis que je suis là.

— Tu sais pourquoi Mme Serafino a renvoyé Gla

dy, celle qui t'a précédée ? Elle a surpris son mari
avec elle... et tu es mille fois mieux.

Stanley Doble était un habitant typique de la petite
ville, le prototype d'une certaine classe sociale, pourrait-on dire. C'était un homme de quarante ans, assez
fort, avec des cheveux grisonnants et une peau tannée
qui indiquait qu'il passait la plus grande partie de
son temps à l'extérieur. Il savait construire un canot,
réparer et installer la plomberie et l'électricité d'une
maison, tondre et ratisser inlassablement une pelouse
sous un soleil d'été épuisant. Il remettait les voitures
d'aplomb, ainsi que les moteurs de canots noyés d'eau
de mer. Son premier emploi fixe était celui de concierge
de la synagogue, depuis que les Juifs avaient acheté une
vieille maison pour en faire une école, un temple, et
un lieu de réunion. Sans lui, elle serait tombée en rui-
ne, la chaudière n'aurait plus fonctionné de même que
la plomberie et l'électricité. Il avait refait le toit et
profité de l'été pour repeindre l'immeuble extérieu-
rement et intérieurement.

Ce mardi matin, il ratissait la pelouse, et plusieurs
paniers étaient déjà pleins d'herbes et de feuilles. Bien
qu'il eût encore l'autre côté à nettoyer, il décida de
s'arrêter pour déjeuner. Il n'avait vraiment pas besoin
de se presser.

Dans le Frigidaire de la cuisine, il prit une bouteille
de lait et quelques tranches de fromage. Pour la viande
il savait qu'il ne pouvait l'acheter que dans ce qu'il
appelait les boutiques 7 W. D., ce qui était sa manière
de lire le signe *kosher*. Il se demande un instant s'il
n'allait pas prendre sa vieille décapotable Ford 1947
pour aller boire un verre de bière. Il en avait le temps.

Mais Schwartz l'avait prévenu qu'on aurait peut-être besoin de lui pour aider à décorer la salle de patronage, et si jamais il se lançait dans une des interminables discussions qui avaient cours à la Ship's Cabin, il avait des chances de ne pas revenir à temps.

Après avoir fait la vaisselle du repas précédent, il s'installa dans son coin personnel du sous-sol : il y disposait d'une table boiteuse, d'un lit de camp, et d'un fauteuil d'osier déniché dans la décharge municipale, lieu de promenade favori de certains membres de la société de Barnard's Crossing. Assis à sa table, mâchonnant lentement les sandwichs qu'il venait de confectionner, buvant à même le coin du carton de lait, il regardait distraitement au-dessus de lui, par la demi-fenêtre du sous-sol, à travers les buissons, les jambes des passants, celles des hommes cachées dans leur pantalon, celles des femmes gainées de nylon, minces et froides. Il suivait parfois du regard une paire de jambes féminines au galbe exceptionnel, en hochant sa tête grisonnante et en murmurant : « Formidable... »

Son quart de lait achevé il s'essuya la bouche d'une main noueuse et poilue et se leva de son fauteuil pour s'allonger sur le lit de camp. Après avoir laissé son regard errer sur les tuyauteries et les câbles qui couraient sur le plafond comme les veines et les artères d'un tableau d'anatomie, il considéra longuement sa galerie d'art, des photos de femmes prises à différents stades de leur déshabillage, qu'il avait fixées à un mur. Toutes avaient des seins et une croupe particulièrement invitants, et sa bouche s'étira en un sourire de satisfaction.

Du dehors, juste devant sa fenêtre, un bruit de voix de femmes lui parvint. Il se pencha et aperçut deux paires de jambes en bas blancs, ayant, à côté d'elles, les roues d'une poussette d'enfant. Elles passaient souvent par-là, et il les connaissait de vue. C'était vraiment amusant de surprendre leur conversation, un peu comme s'il les regardait par un trou de serrure :

— Quand tu auras fini, prends le car pour Salem et viens me retrouver. Nous mangerons à la gare.

— Je pense plutôt que je resterai à Lynn et que j'irai au cinéma.

— Mais ils passent des films qui n'en finissent pas. Comment pourras-tu rentrer ?

— La séance finit à onze heures et demie : j'aurais le temps de prendre le dernier car.

— Et tu n'as pas peur de rentrer seule si tard, en pleine nuit ?

— Il y a toujours tant de monde dans ce car, et je n'ai que deux blocs à faire à pied... Angie : ici, tout de suite, s'il vous plaît !

Il y eut un bruit de pas d'enfant qui courait, puis les deux gouvernantes s'éloignèrent.

Stanley se remit sur son dos pour mieux contempler les photos du mur. L'une d'elles représentait une fille brune nue à l'exception d'un cache-sexe étroit et d'une paire de bas noirs. Il la regarda si longtemps que les bas devinrent soudain blancs et la chevelure blonde. Une minute après, un ronflement s'échappait de sa bouche entrouverte, régulier comme celui d'un moteur de bateau par grosse mer.

Myra Schwarz et les deux femmes qui s'occupaient de décorer la salle de patronage reculèrent pour admirer leur œuvre, la tête penchée de côté :

— Cela ira, Stanley. Un peu plus haut peut-être.

Perché sur une échelle, Stanley souleva la bande de papier crêpe.

— C'est parfait, Stanley. Qu'en pensez-vous, les filles ?

Beaucoup plus jeunes que Myra, elles approuvèrent avec enthousiasme. Elles n'éprouvaient aucune passion pour ce genre de travail, mais la décoration était réservée aux nouveaux membres de la communauté féminine, et elles étaient venues de bonne heure, en pantalon, pour s'y mettre. Et soudain Myra était arrivée, habillée et coiffée de frais, afin de « voir si tout se passait bien ». En un clin d'œil, elle avait pris le commandement. Stanley, dont elles avaient en vain réclamé l'aide, réquisitionné par Myra sur un ton sans réplique, avait aussitôt commencé à grimper à l'échelle et à en descendre pour exécuter ses ordres.

C'était un travail fatiguant, ennuyeux, et il détestait surtout d'être commandé par cette femme Schwarz qui se croyait tout permis. La porte s'ouvrit, laissant passer la tête du rabbin :

— Stanley, je voudrais vous parler une minute.

Stanley se hâta de descendre de l'échelle, laissant pendre un bout de guirlande qui entraîna soudain tout le reste. Les trois femmes poussèrent un « Oh ! » de désespoir, et le rabbin, enfin conscient de leur présence, murmura quelques mots d'excuse avant de s'adresser à son concierge :

— J'attends des livres qu'on m'a envoyés par exprès. Ils devraient arriver dans un ou deux jours. Ce sont des volumes rares et précieux. Dès que vous les aurez reçus, je voudrais que vous les portiez immédiatement dans mon bureau. Surtout, ne les laissez pas traîner.

— Entendu, monsieur le rabbin. Mais comment saurais-je que le paquet contient des livres.

— C'est le collège Dropsie qui me les envoie : vous le verrez sur l'étiquette.

Avec un signe de tête vers les trois femmes, il se retira.

Mme Schwarz, l'air excédé, attendait que Stanley revînt à son échelle :

— Il devait avoir quelque chose de fort important à vous dire pour vous déranger de la sorte.

— C'est à propos de certains livres qu'il attend et que je dois mettre de côté.

Myra Shwarz, de plus en plus sarcastique, soupira :

— Très important, en effet. Sa Sainteté aura peut-être une petite surprise dans quelques jours.

— Peut-être ne nous a-t-il pas vues en entrant ? dit Emmy Adler, l'une des jeunes femmes.

Mais Nancy Drettman était mieux renseignée :

— Il ne pouvait pas faire autrement que nous voir.

Puis se tournant vers Myra :

— Mon mari fait partie du conseil d'administration. Hier, M. Becker l'a appelé au téléphone pour être sûr qu'il assisterait à cette séance spéciale et...

Myra Schwarz l'interrompit d'un geste en direction d'Emmy Adler, puis, dans un murmure :

— N'oubliez pas que c'est un secret.

CHAPITRE V

Libérée à midi, Elspeth arrivait rarement à s'en aller avant une heure. Donner à déjeuner aux enfants était toute une cérémonie pour Mme Serafino : « Elspeth, où avez-vous mis l'assiette d'Angelina, celle avec les trois petits nounours ? » ou encore : « Elspeth, avez-vous le temps, juste une minute, de mettre Johnny sur son petit pot ? » Elle préférait tout faire elle-même et prendre le car d'une heure et même celui d'une heure trente.

D'ailleurs, elle n'avait rendez-vous qu'à quatre heures. La journée était chaude et humide, et elle aurait même préféré ne pas sortir avant trois heures pour être plus fraîche en se présentant chez le médecin. Mais Mme Serafino s'en serait étonnée.

Elle donnait donc à manger aux enfants quand Mme Serafino fit son apparition :

— Mais ce n'était pas la peine de commencer. Je vais terminer pour que vous puissiez vous habiller.

— J'ai presque fini, madame. Pourquoi ne déjeunez-vous pas ?

— C'est une bonne idée. Donnez-moi une tasse de café...

Elle se fit servir sans trop remercier : sans quoi, ces filles s'imaginent qu'elles sont indispensables, n'est-ce pas ? Aussi n'esquissa-t-elle pas un mouvement quand Elspeth prit les enfants par la main pour les conduire dans leur chambre à coucher.

Les préparer à la sieste prenait presque autant de temps que les faire déjeuner. Quand Elspeth put enfin redescendre, Mme Serafino, qui parlait au téléphone, mit la main sur le cornet de l'appareil :

— Oh Elspeth ! Les enfants sont-ils déjà couchés ? J'allais monter pour le faire... »

Et elle reprit immédiatement la conversation interrompue.

Elspeth passa dans sa chambre, une pièce attenante à la cuisine, et ferma la porte derrière elle en repoussant énergiquement le verrou. Puis elle se laissa tomber à plat ventre sur son lit en tournant automatiquement le bouton de la radio. Sans écouter, elle entendait à demi la voix joyeuse de l'annonceur : « Vous avez entendu Bert Burns, dans *Cornliquor Blues*, la dernière sensation de l'année. Voici maintenant quelques informations sur le temps. La zone de basse pression approche sans cesse, ce qui veut dire que nous aurons probablement quelques nuages et du brouillard dans la soirée, peut-être même quelques averses. Mais il faut bien que la pluie tombe de temps à autre, n'est-ce pas ? Ha Ha ! Et maintenant pour l'anniversaire de Mme Eisenstadt, 24 West Street, à Salem, les Happy Hooligans jouent leur dernier succès. Bon anniversaire, madame... »

Elle sommeillait à demi allongée tantôt sur le dos, tantôt sur le côté, se demandant si vraiment il lui fallait s'habiller par un temps aussi moite. Enfin, elle se leva pesamment, se contorsionna un instant pour faire passer sa robe au-dessus de sa tête, dégraffa sa gaine qu'elle repoussa le long de ses cuisses jusqu'au sol, sans avoir le courage d'en détacher ses bas.

Derrière la porte, elle entendit du bruit. M. Serafino était descendu pour prendre un peu de jus d'orange dans le Frigidaire et se faire chauffer une tasse de café. Rassurée par un regard au verrou intérieur, elle se rendit dans la minuscule salle de bains et régla la douche.

Une demi-heure plus tard, elle sortait de sa chambre dans une robe jaune sans manches. Gantée et chaussée de blanc, elle portait un sac en plastique, blanc lui aussi. Ses cheveux courts, rejetés sévèrement en arrière, étaient tenus en place par un bandeau élastique. Mme Serafino, encore en peignoir et en chaussons, avait remplacé son mari dans la cuisine et sirotait une seconde tasse de café.

— Que vous êtes jolie, Elspeth ! Faites-vous quelque chose de spécial ce soir ?

— Juste le ciné, madame.

— Amusez-vous bien. Vous n'avez pas oublié votre clé ?

La jeune fille ouvrit son sac pour montrer la clé attachée à la fermeture Eclair de la bourse intérieure. Revenant dans sa chambre, elle en verrouilla de nouveau la porte, et gagna la sortie de service par le petit couloir du sous-sol. Elle atteignit le coin de la rue au moment où le car arrivait, et s'installa à l'arrière près d'une fenêtre ouverte. Comme le car reprenait de la vitesse, elle ôta ses gants pour retirer de son sac une vieille et large alliance en or qu'elle passa à l'annulaire gauche.

— La bonne est déjà partie ? demanda Serafino en entrant dans la cuisine.

Sa femme lui jeta un coup d'œil rapide : il était rasé et habillé.

— Elspeth ? Oui, il y a quelques minutes. Pourquoi ?

— Comme je vais à Lynn, j'aurais pu l'y emmener.

— Depuis quand vas-tu à Lynn ?

— Il faut que j'y mène la voiture : la commande de la capote a besoin d'être révisée. L'autre jour, l'orage a eu raison d'elle et j'ai été trempé.

— Pourquoi as-tu attendu aujourd'hui pour la faire réparer ?

— Il a fait si beau que je n'y ai plus pensé. Je viens d'entendre que le temps tourne et qu'il va peut-être pleuvoir. Mais dis-moi, pourquoi cet interrogatoire ?

— Pour rien. Quand reviens-tu ? Ou peut-être est-ce aussi une question de trop ?

— En effet. Peut-être resterais-je à Lynn, et dans ce cas, je dînerai au club...

En s'en allant, il avait l'air furieux.

Elle l'entendit claquer la porte d'entrée. Les sourcils froncés, elle se mit à réfléchir. Pourquoi son mari, qui ignorait d'habitude cette fille, était-il soudain si obligeant ? Et ne venait-il pas de se raser au lieu d'attendre, comme tous les jours, le moment de se rendre au club ? Il avait la barbe si drue qu'il lui faudrait recommencer l'opération...

Plus elle réfléchissait, plus tout cela lui paraissait suspect. Pourquoi Elspeth ne profitait-elle pas de la totalité de son après-midi de liberté ? Personne ne lui demandait de s'occuper des enfants. Et elle avait traîné ensuite...

Il y avait aussi cette manière absurde de verrouiller

sa porte. Jusqu'alors elle n'avait fait qu'en rire avec leurs amis. « Figurez-vous qu'elle s'enferme toujours à double tour comme si Joe allait s'introduire chez elle quand elle dort et qu'elle est en train de s'habiller ! » L'idée que son mari pouvait s'intéresser à cette fille lui avait paru ridicule. Mais était-ce le cas ? Et si Elspeth, loin de chercher à se protéger, veillait simplement à ne pas être surprise ? Ne pouvait-il pas la rejoindre directement par l'entrée de service, en sachant qu'elle tenait fermée la porte de la cuisine, par où sa femme aurait pu entrer ?

Une autre idée lui vint : depuis les trois mois que cette fille vivait chez eux, elle ne s'était fait aucun ami, si ce n'est cette grande jument de Célia, la gouvernante des Hopkins. Toutes les jeunes filles ont des amoureux. Evidemment, si Joe la satisfait à domicile, Elspeth n'en avait pas besoin.

Puis elle se mit à se moquer d'elle-même et de ses soupçons. N'était-elle pas presque tout le temps avec son mari ? Elle le voyait chaque soir au club. Chaque soir, sauf le jeudi naturellement. Jeudi, le jour de congé d'Elspeth...

Plusieurs fois déjà Melvin Bronstein avait tendu la main vers le téléphone. Il était plus de six heures et tous les employés étaient partis. Seul Al Becker travaillait dans son bureau et, à en juger par les livres étalés devant lui, il en avait encore pour longtemps.

Il pouvait maintenant appeler Rosalie sans être dérangé. Le reste de la semaine il ne songeait guère qu'à son travail, mais il avait l'habitude de la voir le jeudi, et ce jour-là le besoin qu'il avait d'elle devenait irrésistible. Depuis un an qu'il la connaissait, leurs rapports s'étaient transformés en habitude : chaque jeudi après-midi, ils se rencontraient quelque part pour dîner. Puis ils roulaient en pleine campagne et s'arrêtaient dans un motel. Il la raccompagnait chez elle vers minuit, car l'étudiante qui gardait les enfants refusait de rester plus tard.

Tout était changé. Il ne l'avait pas vue les deux dernières semaines : elle craignait que son mari, avec qui elle s'était brouillée, la fît suivre par un détective : « Surtout, ne me téléphone pas, Mel. Evidemment, il ne fait pas surveiller ma ligne, mais en t'entendant je pourrais me laisser convaincre, et tout serait perdu. »

Il le lui avait promis. Elle avait tant insisté qu'il avait même ressenti un peu de son effroi. Et une fois de plus, c'était jeudi. Pourquoi ne pas téléphoner, savoir enfin si les choses ne s'amélioraient pas ? Elle aussi devait penser à lui, et s'ils échangeaient seulement quelques paroles, tout redeviendrait comme avant.

Becker entra en s'efforçant de prendre un air indifférent :

— A propos, Mel, Sally m'a dit de te ramener à dîner à la maison. J'allais l'oublier.

Bronstein eut envie de sourire : depuis qu'Al et Sally l'avaient aperçu avec cette femme il y avait déjà un mois, ils faisaient l'impossible pour l'entraîner à passer le jeudi soir avec eux.

— Je te remercie, Al. Mais un petit tour sous la pluie me fera du bien. J'ai comme un besoin de solitude aujourd'hui.

— Eh bien, pourquoi ne viendras-tu pas ensuite

après dîner ? Sally vient d'acheter de nouveaux dis-
ques, le genre grande musique, tu vois ça d'ici ? On
pourra en écouter un ou deux, puis faire une bonne
partie de billard au sous-sol.

— Je passerai peut-être.

— Tiens, j'ai une meilleure idée : j'appelle Sally
pour lui dire que je reste en ville, et nous allons nous
payer une bonne soirée en garçons : dîner, une ou
deux vieilles bouteilles, et puis un film ou le bowling.

Bronstein secoua la tête :

— Laisse tomber, Al. Tu rentres chez toi, tu dînes,
et tu te reposes. Ne t'occupe pas de moi, mon vieux.
Peut-être passerai-je ce soir.

Il fit le tour de son bureau pour enlacer du bras
l'épaule de son aîné :

— Rentre chez toi, barre-toi, mon vieux. Je ferme
la boutique.

Gentiment, il reconduisit Becker jusqu'à la porte.
Une fois seul, il prit enfin le téléphone et composa le
numéro. Il entendit sonner, sonner interminablement.
Après une bonne minute d'attente, il raccrocha.

Il était plus de six heures quand le médecin finit de
l'examiner. Elspeth remercia l'infirmière pour le régi-
me polycopié et la petite brochure énumérant les précautions à prendre en cas de grossesse. Au moment de
s'en aller, elle demanda s'il y avait une cabine téléphonique dans l'immeuble.

— Il y en a une en bas dans le vestibule. Mais vous
pouvez téléphoner d'ici si vous le désirez.

Elspeth rougit et fit non de la tête. L'infirmière crut

comprendre cet accès de timidité et se contenta de
sourire.

Une fois dans la cabine, Elspeth composa le numéro
en priant qu'il fut chez lui :

— C'est moi, mon chéri. Oui, Elspeth. Il faut que
je te voie ce soir. C'est terriblement important.

Elle l'écouta parler un instant puis reprit :

— Mais tu ne comprends pas. J'ai quelque chose à
te dire... Non, non, pas par téléphone... Je suis à Lynn
pour l'instant, mais je retourne à Barnard's Crossing.
Nous pourrions dîner ensemble, manger au « Surfside »,
puis j'irai au cinéma, au Neptune.

Elle l'écoutait en remuant la tête comme s'il pouvait la voir :

— Je sais bien que tu ne peux pas aller au cinéma
avec moi, mais il faut que tu dînes, n'est-ce pas ? Je
serai au « Surfside » vers dix-neuf heures. Essaie de
venir... Si tu n'es pas là à la demie, je saurai que tu
n'as pas pu. Mais fait l'impossible, je t'en supplie.

Avant de prendre son car, elle s'arrêta à une cafe-
taria. Tout en buvant son café, elle ouvrit la petite
brochure sur la grossesse et la relut attentivement plusieurs fois de suite : il n'y avait que quelques règles,
très simples, à observer. Puis elle la glissa entre le
siège et le dossier de la banquette de cuir. Mme Serafino n'avait pas besoin d'être au courant.

CHAPITRE VI

A sept heures et demie, Jacob Wasserman sonna à la porte de la maison du rabbin. Sa femme, Mme Small, vint ouvrir. Elle était petite, vive, avec une grande masse de cheveux blonds qui semblait la déséquilibrer. Ses yeux bleus et la franchise de son visage auraient pu faire croire à une certaine naïveté sans l'avancée déterminée, très résolue, du menton.

— Entrez donc, monsieur Wasserman. Quel plaisir de vous voir !

En l'entendant, le rabbin referma son livre et se dressa pour aller au-devant de son visiteur.

— Nous venons de finir de dîner, mais vous prendrez bien un peu de thé. Tu t'en occupes, ma chérie ?

Il fit entrer Wasserman au salon pendant que sa femme mettait la bouilloire sur le feu. Après s'être débarrassé du livre qu'il tenait encore à la main, il fixa sur le président de la communauté un regard interrogateur.

Wasserman se rendit soudain compte que ce regard, malgré sa douceur, était terriblement pénétrant. Il tenta de sourire :

— Vous vous rappelez, monsieur le rabbin, que,

lorsque vous êtes arrivés ici, vous avez suggéré qu'en
tant que rabbin il était préférable que vous assistiez
aux conseils d'administration. J'étais de votre avis :
si l'on engage un rabbin pour aider au développement
de la congrégation, il vaut mieux qu'il soit au courant des projets et de toutes les activités. Mais j'ai
été mis en minorité : pour eux, le rabbin est l'employé
de la congrégation. Comment pourrait-on discuter de
son contrat, de son salaire, s'il s'asseyait parmi nous ?
Le résultat est qu'on n'a jamais parlé de cela depuis
un an, du moins jusqu'au dernier conseil où j'ai suggéré qu'on discute du renouvellemnt de votre contrat
avant l'été.

Mme Small apportait un plateau avec le thé. Après
les avoir servis, elle prit une tasse pour elle et s'assit.

— Et qu'a-t-on décidé ? demanda le rabbin.

— Rien, sinon qu'on parlerait à la prochaine réunion, c'est-à-dire dimanche.

Le rabbin semblait étudier sa soucoupe avec beaucoup d'attention, le sourcil froncé. Puis, sans lever la
tête, comme s'il pensait tout haut, il dit :

— Nous sommes jeudi, trois jours avant la réunion.
Si le renouvellement du contrat était certain et que le
vote fût une simple formalité, vous auriez attendu
dimanche pour me prévenir. Si le renouvellement était
probable sans être absolument certain, vous m'en
auriez parlé lors de notre prochaine rencontre, vendredi soir, au service religieux. Mais vous n'avez pas
voulu attendre vendredi, c'est-à-dire que vous avez eu
peur de gâter mon sabbat en m'annonçant une mauvaise nouvelle. En venant ce soir, vous désirez me faire
comprendre qu'il y a de fortes chances pour que je ne
sois pas engagé de nouveau. C'est cela, n'est-ce-pas ?

Wasserman secoua la tête avec une sorte d'admiration. Puis il se tourna vers la femme du rabbin en la menaçant du doigt :

— N'essayez jamais de cacher quelque chose à votre mari. Il découvrira la vérité en moins d'une minute. Mais ce n'est pas tout à fait cela. Nous sommes quarante-cinq au conseil d'administration, quarante-cinq, plus qu'au conseil de la General Electric ou de l'United States Stell, pensez-y. On est bien obligé d'accepter, car c'est un honneur d'en faire partie. Si bien qu'en fin de compte, le conseil se compose des membres les plus riches de la communauté. Et les autres synagogues font comme nous. Sur les quarante-cinq, il y en a cinq peut-être qui assistent régulièrement aux réunions. Il nous arrive d'être dix. On voit les autres une fois par an. Si nous n'étions que quinze dimanche, il y aurait une forte majorité pour vous : douze contre trois sans doute. Mais nous n'avons pas pu refuser de remettre la décision à une semaine : cela semblait raisonnable, car c'est en effet la règle pour toutes les questions importantes. Or, l'opposition — Al Becker et son groupe — prépare certainement quelque chose. Il ne vous aime pas, Al Becker. J'ai découvert hier qu'ils s'étaient mis au travail en téléphonant aux trente membres qui viennent irrégulièrement. Ben Schwarz m'a averti, mais trop tard. Ils ont tous subi une pression telle qu'ils ont presque promis à Al Becker de voter comme lui. L'affaire telle se présente mal : à quinze jours nous étions sûrs de gagner ; à trente ou à quarante...

Il ouvrit les bras, les paumes en l'air, dans un geste d'impuissance. Le rabbin avait l'air assez triste :

— Je ne peux pas dire que cela me surprend. Mes

conceptions sont celles du judaïsme traditionnel, et si
j'ai voulu devenir rabbin, c'était pour mettre mes pas
dans ceux de mon père et de mon grand-père, pour
mener une vie d'études, non pas dans ma tour d'ivoire,
mais dans une communauté dont je ferais partie et que
je chercherais à influencer tant soit peu. Mais je commence à croire qu'il n'existe pas de place pour moi,
ou pour un rabbin de mon type, dans une communauté
juive de l'Amérique moderne. Les congrégations voient
aujourd'hui dans leur rabbin une sorte de secrétaire
général qui organise des clubs, prononce des discours,
bref qui insuffle à la synagogue l'esprit d'une église
chrétienne. Peut-être est-ce une bonne chose, peut-être
suis-je complètement démodé ? De toute façon, ce
n'est pas pour moi. Cette tendance semble insister sur
ce qu'il y a de commun entre nous et les autres, tandis
que tout le poids de notre tradition veut confirmer
notre différence essentielle. Nous ne sommes pas une
secte comme les autres : nous sommes une nation de
prêtres consacrés à Dieu du fait qu'Il nous a choisis.

Wasserman avait eu plusieurs fois un geste d'impatience :

— Mais cela demandera du temps, monsieur le rabbin. Notre congrégation est composée de gens qui ont
grandi dans la période de l'entre-deux-guerres : la plupart d'entre eux n'ont jamais été à un cheder ni même
à une école du dimanche. Vous ignorez ce que j'ai
trouvé quand j'ai tenté de créer une synagogue ? Nous
étions cinquante familles juives et quand le vieux
Lévy est mort, nous avons à peine pu réunir dix hommes, le minyan, pour dire le Kaddish, la prière des
morts. Il a fallu que je visite chaque famille de Barnard's Crossing. Certains avaient organisé des dépla-

cements en voiture pour envoyer leurs enfants à l'école
du dimanche de Lynn ; d'autres engageaient un professeur pour donner aux garçons l'instruction nécessaire à leur Bar Mitzvah, et ils se téléphonaient pour
se le repasser. J'ai eu l'idée d'ouvrir d'abord une école
hébraïque et d'utiliser le même bâtiment pendant les
vacances pour nos services religieux. Les uns m'ont
répondu que ça coûterait trop d'argent, les autres, que
leurs enfants se sentiraient différents en allant à une
école spéciale.

J'ai réussi, mais lentement. Je leur ai présenté des
chiffres, des plans et quand nous avons enfin acquis
un immeuble, ça a été une chose merveilleuse. Ils y
venaient le soir et le dimanche, les femmes en pantalon,
les hommes en bleus de chauffe, pour travailler, nettoyer, peindre. Il n'y avait pas de cliques alors. Tous
collaboraient de grand cœur. Ils ne savaient pas grand-
chose de leur religion, ces jeunes ; la plupart ne pouvaient même pas dire une prière en hébreu, mais ils
avaient l'esprit !

Pour notre premier service de vacances, j'ai emprunté un rouleau à la synagogue de Lynn. C'est moi
qui ai tout dirigé, et j'y ai même été de mon petit sermon. Le Jour des Propitiations, on ne m'a guère aidé
et j'ai presque tout fait moi-même, tout la journée,
avec l'estomac vide. Ma femme s'est fait du mauvais
sang, car je n'étais déjà plus très jeune, mais je ne me
suis jamais senti aussi bien de ma vie. Nous avions
un moral formidable...

— Et alors, qu'est-il arrivé ? demanda la femme du
rabbin.

— La communauté a grandi. D'autres Juifs se sont
installés à Barnard's Crossing, sans doute à cause de

notre école et de notre temple. Avant, tout le monde se
connaissait ; s'il y avait un différend, on le réglait
entre soi. en discutant. Il y a aujourd'hui trois cents
familles, des groupes sociaux différents qui ne se fré-
quent pas. Becker et son groupe, les Pearlstein, les
Korb, les Feingold, vivent à Gove Point et forment un
cercle bien fermé. Becker n'est pas un méchant homme,
croyez-moi. En fait, c'est un chic type, comme tous
ceux que je viens de citer, mais ils n'ont pas le même
point de vue que vous et moi. Pour eux, plus l'organisation de la synagogue est puissante, plus elle a d'influence, mieux ça vaut.

— Ce sont eux qui paient le musicien, cela leur
donne sans doute le droit de réclamer l'air qu'ils veulent, dit le rabbin.

— Mais le temple et la communauté sont plus im-
portants que quelques gros donateurs, s'exclama Wasserman. Une synagogue...

La sonnerie de la porte l'interrompit, et le rabbin se
leva pour ouvrir. C'était Stanley :

— Vous aviez l'air d'être à l'attente de ces livres,
monsieur le rabbin. J'ai pensé faire un détour en rentrant pour vous dire qu'ils sont arrivés. C'est une
grande caisse en bois. Je l'ai montée dans votre bureau et j'ai décloué le couvercle.

Le rabbin le remercia et revint au salon. Il pouvait
à peine dissimuler son excitation :

— Les livres sont arrivés, Miriam.

— J'en suis bien contente, David.

— Ça ne te fait rien que j'aille y jeter un coup
d'œil...

Il se rappela son hôte :

— Je vous demande pardon : la bibliothèque **du**

collège Dropsie m'a envoyé quelques livres assez rares pour mon étude sur Moïse Maimonide.

— J'allais m'en aller, dit Wasserman en se levant de sa chaise.

— Vous ne pouvez pas vous en aller maintenant, monsieur Wasserman. Vous n'avez même pas terminé votre thé. Vous me gênerez beaucoup si vous nous quittez. Insiste pour qu'il reste, Miriam.

Wasserman eut un sourire :

— Vous ne pensez en ce moment qu'à vos livres. Allez les voir, et je tiendrai compagnie à Mme Small.

— Vraiment ? Vous n'y voyez pas d'inconvénient ?

Déjà, il se précipitait vers le garage. Sa femme lui barra le chemin, le menton haut :

— David, tu ne partiras pas sans pardessus.

— Mais il fait très doux dehors.

— Il fera frais quand tu reviendras.

Résigné, le rabbin ouvrit le placard et prit son pardessus, mais au lieu de le mettre, il le jeta sur son bras d'un air de défi.

Mme Small revint au salon :

— C'est un véritable enfant, dit-elle sur un ton d'excuse.

— Non. Il a envie d'être un peu seul, simplement...

Le « Surfside » était un restaurant raisonnable, disait-on. Les prix étaient modérés, le service rapide et efficace mais dépourvu de luxe, et bien que le décor fût simple, la nourriture était bonne et les poissons et fruits de mer exceptionnels. Mel Bronstein n'y avait jamais mangé, mais, au moment où il passait, une

voiture parquée en face de la porte démarra, et il y vit
une sorte de signe. Il se rappela avoir entendu parler,
en bien, de ce restaurant, et rangea sa grande Lincoln
bleue dans la place vide.

Il y avait peu de monde, et il s'assit à une table isolée
en commandant un martini. Des filets de pêche pen-
daient partout, avec une paire d'avirons, un volant en
acajou, des flotteurs de cage à homards. Un immense
espadon empaillé sur fond de bois occupait un mur
à lui tout seul.

Regardant autour de lui, il ne vit personne de connaissance. Le « Surfside » était situé dans la ville basse,
la Vieille Ville, et les gens de son quartier, Chilton,
y venaient rarement.

La plupart des tables étaient occupées par des couples, mais une jeune fille seule attendait en face de
lui, un peu sur sa gauche. Elle consultait de temps à
autre sa montre. Elle n'avait pas commandé de repas
et buvait lentement un verre d'eau, non par soif, mais
parce que tous dînaient.

La serveuse s'approcha pour lui demander s'il voulait composer son menu, mais d'un geste il lui fit signe
d'apporter un autre martini.

La jeune fille devenait de plus en plus nerveuse à
force d'attendre. Chaque fois que la porte s'ouvrait,
elle se tournait vers elle. Soudain son expression changea. Elle se redressa comme après une décision prise,
retira ses gants blancs et les mit dans son sac. Il vit
qu'elle portait une alliance, mais aussi qu'elle l'ôtait
pour la ranger dans sa bourse.

Leurs regards se rencontrèrent, et elle rougit. Il était
maintenant huit heures moins le quart.

Après avoir hésité un instant, il se leva et se dirigea vers elle :

— Je m'appelle Melvin Bronstein et suis un homme tout à fait respectable. Je déteste dîner seul, et vous de même sans doute ? Accepteriez-vous de vous joindre à moi ?

Elle avait sursauté et ses yeux s'étaient agrandis comme ceux d'un enfant. Elle les abaissa un instant, puis les fixa de nouveau sur lui en inclinant la tête.

— Prenez encore un peu de thé, monsieur Wasserman.

Il la remercia en souriant et continua à parler :

— Vous ne pouvez vous imaginer à quel point cette affaire m'ennuie, madame Small. Après tout, c'est moi qui ai choisi votre mari, moi seul.

— Nous nous en sommes un peu étonnés, David et moi. Généralement, quand une congrégation a besoin d'un rabbin, elle convoque plusieurs candidats et leur fait célébrer à tour de rôle le service du samedi, si bien que le conseil d'administration, ou le comité des rites, a la possibilité de les connaître.

Elle s'interrompit pour le regarder avant de baisser rapidement les yeux :

— S'il y avait eu un choix collectif, peut-être auraient-ils pour lui un sentiment plus amical.

— Ne pensez pas que j'aie voulu agir seul, madame Small. On venait d'achever la construction du bâtiment au début de l'été, et le conseil a décidé que tout devait être organisé en septembre. Quand j'ai suggéré que le comité des rites, c'est-à-dire Becker, Reich et moi, parte pour New York, c'est Becker, remarquez-le bien, qui

a insisté pour que j'y aille seul. Je me souviens encore
de ce qu'il m'a dit : « Nous ne savons rien des rabbins,
Reich et moi. Ramenez celui qui vous plaît : ce sera
le bon. » Il avait peut-être beaucoup à faire, mais après
tout, il est vrai qu'ils ne savent pas grand-chose du
judaïsme. Becker n'est même pas capable de dire ses
prières en hébreu et Reich ne vaut guère mieux. J'en
avais déjà eu une preuve : l'architecte qu'ils ont
engagé non seulement n'était pas juif, mais s'appelait
Christian Sorenson, Christian, c'est-à-dire Chrétien ! Si
je ne m'y étais pas opposé, il y aurait aujourd'hui
une grande plaque de bronze sur le devant de la synagogue où tout le monde pourrait lire son nom. J'ai
obtenu qu'on mette seulement ses initiales. Et la
conception du bâtiment n'a rien de juif, naturellement.
Enfin, ce n'est pas cela qui peut influencer l'esprit d'une
congrégation, mais le caractère du rabbin. Voilà pourquoi j'ai accepté d'aller seul à New York.

— Et vous avez choisi mon David, monsieur
Wasserman ?

Il hésita un instant avant de répondre. Il se rendait
soudain compte qu'il avait affaire à une jeune femme
habile et énergique, et qu'il lui fallait peser ses mots.
Ce qui l'avait attiré chez David Small, c'était d'abord
sa science considérable du Talmud, puis le fait qu'il
descendait d'une longue lignée de rabbins de même que
sa femme. Quelqu'un élevé dans cette atmosphère
religieuse ne pouvait être qu'un tenant très ferme de
la tradition. Pourtant, il avait été un peu déçu par
le premier contact : ce jeune homme n'avait rien
d'imposant et paraissait très ordinaire. Au cours de
la conversation, il s'était laissé gagner par sa gen-
tillesse, son bon sens. Dans ses gestes, dans le ton

de sa voix, quelque chose lui rappelait le patriarche barbu qui lui avait enseigné le Talmud alors qu'il était enfant en Europe.

Une fois l'affaire réglée, Wasserman avait toutefois ressenti des doutes : si le rabbin Small lui convenait personnellement, correspondait-il à l'idée que la majorité de la population se faisait d'un personnage important ? Les uns s'attendaient à voir un homme de taille élevée, austère, doté d'une voix profonde et résonnante, une sorte d'évêque imposant ; le rabbin Small était petit, et il parlait doucement, très simplement. D'autres imaginaient un étudiant en flanelle grise, parfaitement à son aise sur un terrain de golf ou un court de tennis, avec les couples de son âge ; Small était très mince, pâle, il portait des lunettes, et, tout en possédant une excellente santé, il n'avait vraiment rien d'un athlète. D'autres encore attendaient un type présidentiel, l'organisateur énergique qui constituerait des comités et entraînerait par sa force et par son charme l'ensemble de la communauté dans un programme ambitieux d'expansion et de bonnes œuvres. Et le rabbin Small était si distrait qu'il fallait sans cesse lui rappeler ses rendez-vous ; il n'avait ni le sens du temps ni celui de l'argent. Et si on lui faisait une suggestion, il l'oubliait d'autant plus vite qu'elle l'intéressait rarement.

— Voyez-vous, madame, je l'ai choisi parce qu'il m'a plu, mais aussi pour autre chose. J'en ai approché d'autres que lui, des jeunes gens brillants avec une bonne tête intelligente de Juif sur leurs épaules. Mais le rabbin d'une communauté doit avoir quelque chose de plus que l'intelligence. J'ai parlé avec chacun d'eux de ma conception du rabbinat, et en fin de

compte, tous sont tombés d'accord avec moi. Oui, ils
étaient très intelligents. Mais votre mari ne s'est pas
soucié de mon point de vue ; quand je le lui ai fait
connaître, il m'a contredit sans aucune grossièreté,
mais calmement et fermement. Un homme qui pose
sa candidature à un emploi quelconque, et qui déclare
qu'il n'est pas d'accord avec celui qui peut l'engager,
est généralement un idiot, à moins qu'il ait vraiment
des convictions. Or rien chez votre mari ne pouvait
me faire penser que j'avais affaire à un idiot.

Et maintenant, madame Small, à moi de questionner.
Pourquoi votre mari a-t-il posé sa candidature à cet
emploi et surtout pourquoi l'a-t-il accepté ? Je suis
sûr que le bureau du séminaire renseigne les jeunes
rabbins sur la congrégation disponible, et, au cours
de notre conversation, j'ai répondu franchement à
toutes ses questions.

— Vous voulez dire qu'il aurait dû choisir une
communauté mieux établie, plus traditionnelle...

Elle reposa sa tasse vide sur la table.

— ...Nous en avons parlé. Il ne pense pas qu'elles
aient de l'avenir. David n'est pas de ceux qui se
contentent de suivre l'ornière. Il a des convictions,
et il a pensé qu'il pouvait en faire l'apport à
votre communauté. N'avait-elle pas délégué quelqu'un
comme vous et non une commission composée, comme
d'habitude, d'hommes dans le genre de Becker ? Il
a cru voir s'ouvrir une porte devant lui. Il semble
qu'elle va se refermer. Ont-ils vraiment pris la décision
de le renvoyer ?

Wasserman eut un haussement d'épaules :

— Vingt et un ont admis qu'ils voteront contre lui.

Ils le regrettent, mais ils l'ont promis à Al Becker
ou au docteur Pearlstein ou à quelqu'un d'autre. Vingt
m'ont déclaré qu'ils voteront pour lui, mais quatre
d'entre eux me semblent incertains : peut-être reste-
ront-ils chez eux ou auront-ils une course à faire pour
n'avoir pas à prendre parti. Ils viendront ensuite
m'expliquer que c'est bien dommage, qu'ils ont essayé
de revenir à temps, mais que c'était trop tard...

— Cela fait quarante et un, et il y a quarante-cinq
membres, n'est-ce pas ?

— Les quatre derniers sont indécis. C'est-à-dire
qu'ils ont décidé de voter contre, mais qu'ils se
refusent à en discuter avec moi. Que peut-on répondre
à quelqu'un qui vous dit : « J'ai besoin d'y réfléchir ? »
C'est impossible...

— Puisque telle est leur décision, tant pis...

D'un seul coup, Wasserman se fâcha :

— Leur décision ! Mais que savent-ils ? Quand j'ai
eu l'idée de constituer cette congrégation, ou plutôt
un petit club pour commencer, si vous les aviez
entendus ! L'un m'a dit qu'il n'avait pas le temps,
l'autre qu'il ne croyait pas à une religion organisée,
le troisième qu'il n'avait pas les moyens. Si l'on avait
voté à l'époque et si j'avais agi selon la décision de
la majorité, nous n'aurions jamais eu de temple, de
chanteur, de rabbin, ni d'école ni de professeurs !

— Mais d'après vos propres chiffres, ils sont vingt-
cinq, vingt-neuf, sur quarante-cinq.

Il eut un pâle sourire :

— Je vois peut-être les choses en noir. Peut-être
les quatre derniers veulent-ils vraiment réfléchir ? Et
Al Becker, Irving Feingold et le Dr Pearlstein ne

seront peut-être pas suivis par tous ceux qui leur ont
fait des promesses : eux aussi peuvent avoir une course
à faire. Il faut que je sois franc avec vous, madame
Small : votre mari a une part de responsabilité dans
tout cela. Nombreux sont les membres de la congrégation, et je ne parle pas seulement des amis de Becker,
qui estiment qu'un rabbin est avant tout leur représentant, et ils sont blessés par le comportement
général de votre mari. Ils disent qu'il néglige ses rendez-vous, qu'il néglige son aspect personnel, qu'il
néglige même sa façon d'être en chaire. Ses vêtements
ont tendance à être chiffonnés. Quand il se dresse
pour prendre la parole devant la congrégation ou à
une réunion quelconque, beaucoup s'en formalisent.

— Je le sais, et peut-être ces critiques s'attaquent-
ils également à moi : une femme doit veiller sur son
mari, n'est-ce pas ? Mais que puis-je y faire ? Ses vêtements sont propres quand il s'en va le matin, mais
je ne peux pas le suivre pas à pas toute la journée.
C'est un savant : si un livre l'intéresse, il s'allonge
par terre pour le lire sans même ôter son veston. S'il
se concentre, il se passe la main dans les cheveux, se
dépeigne à faire croire qu'il sort du lit. Ses poches
sont déformées par les fiches sur lesquelles il prend
des notes. C'est un savant, monsieur Wasserman. Et
c'est ce que doit être un rabbin : un savant. Je sais
le genre d'homme que désire la congrégation : dans
les réunions publiques, il se lève pour invoquer
l'Eternel ; il baisse la tête comme si l'Eternel était en
face de lui ; il ferme les yeux pour que Sa clarté
ne l'éblouisse pas, et les mots qu'il dit sont prononcés
d'une voix profonde et basse, pas celle qu'il emploie
pour parler à sa femme, mais une voix spéciale, comme

un acteur. Mon David n'est pas un acteur. Croyez-
vous qu'une voix profonde et basse impressionne
l'Eternel, monsieur Wasserman ?

— Chère madame, je suis d'accord avec vous. Mais
nous vivons sur terre, dans le monde. Et ce que
doit être aujourd'hui un rabbin, c'est ce que le monde
désire qu'il soit.

— Avant que le monde change David, monsieur
Wasserman, David aura plutôt changé le monde.

CHAPITRE VII

En arrivant au club, Serafino vit une nouvelle fille au vestiaire. Il s'adressa au maître d'hôtel qui dirigeait l'affaire en son absence :

— Qu'est-ce que c'est que cette poule, Lennie ?

— J'allais vous le dire, Joe. Le gosse de Nellie est encore malade et j'ai engagé cette fille pour la remplacer.

— Comment s'appelle-t-elle ?

— Stella.

Joe Serafino la regarda une fois de plus.

— On peut dire qu'elle remplit bien l'uniforme. Quand ce sera un peu calme, envoie-la-moi dans mon bureau.

— Pas de blague ! Joe. Faites attention. C'est une petite cousine de ma femme.

— T'en fais pas, Lennie. Il faut que je prenne son nom, son adresse et son numéro de Sécurité sociale, n'est-ce pas ? Veux-tu que j'amène le registre du personnel en plein club ?

Il le quitta pour faire sa tournée habituelle. D'habitude, il circulait parmi les clients, saluait les uns, s'asseyait chez les autres pour appeler ensuite un

garçon d'un claquement de doigt : « Paul, renouvelez
les consommations ici à mon compte. » Mais le jeudi,
soir de sortie des domestiques, l'atmosphère était différente, de nombreuses tables demeuraient vides, et
les conversations manquaient d'entrain. Même le service n'était plus le même : les garçons avaient tendance
à s'entasser près de la porte de la cuisine au lieu
de courir de droite et de gauche avec leur plateau.

Le jeudi, Joe Serafino passait une grande partie de
son temps dans son bureau à travailler à des comptes.
Ce soir-là, il finit de bonne heure et s'apprêtait à som-
meiller sur le divan quand on frappa à la porte. Il
se leva pour se rasseoir derrière son bureau :

— Entrez, dit-il d'un ton brusque d'homme
d'affaires.

La poignée s'abaissa, mais la porte demeura close.
Avec un sourire, il alla repousser le verrou et fit signe
à la fille de prendre place sur le divan. Il referma la
porte derrière elle, s'installa de nouveau, l'air important, pour vérifier pendant une minute ou deux les fins
de pages de ses livres et quelques factures. Puis, tournant lentement sur son fauteuil, il laissa traîner son
regard sur la nouvelle employée :

— Comment vous appelez-vous, ma petite ?

— Stella, Stella Mastrangelo.

— Comment épelez-vous ça ? Venez plutôt ici et
écrivez-le sur ce bout de papier.

Elle vint à son bureau et se pencha pour écrire.
Elle était jeune et fraîche, avec une peau un peu
olivâtre et des yeux sombres et provocants. Il eut
comme un mouvement de la main vers la croupe que
le satin noir tendu rendait si alléchante, puis se retint.
De la même voix indifférente et sèche, il ajouta :

— Mettez votre adresse, le numéro de Sécurité sociale, votre numéro de téléphone également, au cas où l'on ait besoin de vous.

Elle se redressa au bout d'un instant. Au lieu de retourner s'asseoir, elle lui fit face en s'appuyant contre le bureau :

— C'est tout ce que vous désirez, monsieur ?

— Ouais...

Il regarda ce qu'elle avait écrit.

— On peut avoir besoin de vous de temps à autre. Nellie a parlé d'un soir de congé supplémentaire, pour demeurer un peu avec son gosse.

— Oh ! Je serais si heureuse, monsieur Serafino.

— Nous verrons cela. Dites-moi, vous êtes venue en voiture ?

— Non, en autobus.

— Et comment allez-vous rentrer chez vous ?

— M. Lennie m'a dit que je pourrais partir juste avant minuit. Ça me permettra d'attraper le dernier bus.

— Et vous rentrerez seule si tard ? Vous n'avez pas peur ? Ça ne va pas, voyons. Je vous mettrai chez vous ce soir, et vous vous arrangerez autrement la prochaine fois. Pat pourra vous trouver quelque chose de régulier avec un taxi du parking.

— Mais je ne peux pas accepter, monsieur...

— Et pourquoi donc ?

— M. Lennie m'a dit...

Il leva la main pour l'interrompre :

— Personne n'a besoin de le savoir, dit-il d'une voix douce et engageante. Regardez cette porte : elle s'ouvre directement sur le parking. Vous vous en irez à minuit moins le quart et vous m'attendrez à l'arrêt de l'autobus ; je vous y prendrai en voiture.

— Mais M. Lennie...

— Quand Lennie trouve ma porte fermée, il sait que je pique un petit somme, et il ne lui vient pas à l'esprit de me déranger, croyez-moi. D'ailleurs, nous avons à discuter d'affaires tous les deux, n'est-ce pas ?

Elle acquiesça d'un battement de sourcils prometteur.

— Partez vite, ma petite. A tout à l'heure...

Pour la renvoyer, il lui tapota la croupe d'un air paternel...

Au bar « Ship's Cabin », on servait des sandwichs, des pets-de-nonne et du café, avec, le soir, quelques plats chauds inscrits une fois pour toutes sur une carte graisseuse : boulettes et spaghettis, palourdes frites et pommes de terre, saucisses de Francfort et haricots. Chaque plat portait un numéro dont les clients réguliers, comme Stanley, se servaient pour passer leur commande, probablement dans le but d'accélérer le service.

Les habitués de midi buvaient un verre de bière lourde ou légère pour faire passer le sandwich. Avant le dîner, c'était l'heure du whisky. Les vrais clients, Stanley par conséquent, revenaient vers neuf heures, lorsque la « Ship's Cabin » s'animait vraiment.

Après avoir quitté la maison du rabbin, Stanley, au volant de son tacot, arriva à la « Ship's Cabin » où il prit son repas chaud de la journée, mâchant lentement chaque bouchée, les yeux fixés sur l'écran de télévision placé très haut dans un coin de la salle, avalant de temps à autre une gorgée de bière.

Si ce n'est une remarque au patron sur le temps qu'il faisait, il ne parlait habituellement à personne. Après avoir vidé son second demi, s'être essuyé la bouche à la serviette de papier qu'il laissait intacte tout le long du repas, il allait à la caisse, réglait son compte et reprenait sa voiture pour faire les quelques blocs qui le séparaient de son domicile.

Ce soir-là, sa logeuse, Mme Schofield, était assise dans son petit salon, et il en entrouvrit la porte pour lui souhaiter le bonsoir. Une fois dans sa chambre au premier étage, il ôta ses souliers, son pantalon et sa chemise de travail, et s'allongea sur le lit, les mains croisées sous sa tête, regardant le plafond sans le voir. Pas de photos comme celles du sous-sol de la synagogue, Mme Schofield ne l'aurait pas permis. La seule décoration était un calendrier où la reproduction d'un petit garçon et de son chiot devait, dans l'esprit de l'agent de publicité, inspirer au public des sentiments amicaux pour la Compagnie charbonnière de Barnard's Crossing.

Il sommeillait habituellement une heure ou deux, mais ce soir une sorte d'agitation le tourmentait : brusquement, il ressentait sa solitude. Dans son cercle de relations, son état de célibataire était considéré comme la preuve de son intelligence : lui, au moins, ne s'était pas laissé prendre ! Mais n'avait-il pas été trop intelligent en fin de compte ? Quelle était donc sa vie ? Un dîner avalé au comptoir d'un bar, perché sur un haut tabouret, puis une chambre meublée avec, pour unique espoir, une soirée au même bar ? S'il était marié, sa vie serait différente.

Après quelques minutes de rêve éveillé, il sombra dans le sommeil.

A son réveil, il était presque dix heures. Il enfila
ses vêtements de sortie et repartit en voiture pour la
« Ship's Cabin ». Sa rêverie ne le lâchait pas. Il but
plus que d'habitude pour tenter de la noyer, mais
elle était tenace et resurgissait à chaque accalmie des
conversations ou du bruit.

Vers minuit, les gens commencèrent à partir et
Stanley se leva pour s'en aller. Jamais il ne s'était
senti plus seul. Il se rappela que c'était jeudi et qu'il
y aurait peut-être une fille à la descente de l'autobus
à « Oak and Vine ». Peut-être serait-elle lasse et appré-
cierait-elle de faire en voiture la distance qui la sépa-
rait de chez elle ?

Elspeth s'était assise à l'arrière de la voiture. La
pluie cessait, mais de grosses gouttes rebondissaient
encore sur l'asphalte transformée en une sorte de lac
noir. Elle était tout à fait à son aise maintenant, et,
pour le prouver, tirait de longues bouffées gracieuses
de sa cigarette, comme une actrice. En parlant, elle
regardait droit devant elle, guignant du coin de l'œil
les réactions de l'homme.

Il se tenait très droit, les yeux grands ouverts, sans
un cillement, les lèvres serrées sur sa colère, sur son
désespoir peut-être, sur l'anéantissement de tous ses
projets. Elle se pencha en avant pour éteindre sa
cigarette, ponctuant chaque mot d'un petit coup sec
contre le métal du cendrier.

Elle eut soudain l'impression qu'il tendait la main
vers elle et l'aperçut au dernier moment. Il effleura
sa nuque, et elle allait lui sourire quand elle sentit
que la lourde chaîne d'argent qui encerclait son cou
se resserrait soudain. Elle voulut le prévenir qu'il

lui faisait mal, mais une subite torsion transforma
le collier en garrot. Il était trop tard pour crier. Un
brouillard rouge passa devant ses yeux, puis tout
devint noir.

Le bras de l'homme demeurait toujours tendu, et
sa main continuait à tordre le collier comme celui
d'un chien méchant qu'on tient à distance. Lorsqu'il
lâcha prise, elle bascula en avant, mais il la rejeta en
arrière sur son siège. Il attendit un instant. Sans un
bruit, il ouvrit la porte de la voiture, regarda longuement au-dehors. Puis, certain qu'il n'y avait personne
en vue, il mit pied à terre pour tirer le cadavre à lui.

Il n'eut pas un regard pour la tête qui bringuebalait.
D'un coup de hanche, il referma la portière. Il la souleva au-dessus du mur à l'endroit où il était le plus
bas, un mètre à peine. En se penchant, il voulut la
déposer doucement de l'autre côté, sur l'herbe, mais
elle était lourde et lui échappa. Dans l'obscurité, il
voulut lui clore les yeux comme pour les protéger de
la pluie, mais elle était tombée face contre terre et il
ne toucha que ses cheveux. Ce n'était pas la peine
d'essayer de la retourner...

CHAPITRE VIII

A sept heures moins le quart, le réveil tira le rabbin de son sommeil. Il avait le temps de prendre sa douche, de se raser et de s'habiller pour le service du matin qui avait lieu à sept heures trente. Au lieu de se lever immédiatement après avoir arrêté la sonnerie, il poussa quelques soupirs de satisfaction et se renfonça sous son drap. Sa femme le secoua :

— Tu vas être en retard pour le service.

— Aujourd'hui, ils se passeront de moi.

Elle comprenait sa réaction. D'autant plus qu'il était rentré fort tard la veille, longtemps après qu'elle se fut couchée.

Ce jour-là, il se contenta de réciter dans son bureau la prière du matin tandis que Miriam préparait le petit déjeuner. En l'entendant élever la voix : « *Schema, Israël,* Ecoute, Israël, l'Eternel est ton Dieu... », elle commença à faire chauffer l'eau. Au bourdonnement de l'Amidah, elle mit les œufs dans l'eau bouillante pour les ôter à l'Alenu.

Quelques minutes plus tard, il sortait de son bureau en rabaissant sa manche de chemise et en boutonnant la manchette. Comme tous les jours, il jeta un regard de désapprobation sur la table :

— C'est trop.

— C'est bon pour toi. Tu sais bien que le petit déjeuner est le repas le plus important de la journée.

Sa belle-mère l'avait prévenue : « Veillez à ce qu'il mange, Miriam. Ne lui demandez jamais ce qu'il désire, car s'il a un livre devant lui ou une idée en tête, il se déclarera satisfait d'un croûton de pain. C'est à vous de lui donner une nourriture équilibrée avec des tas de vitamines. »

Miriam avait déjà bu une tasse de café accompagnée d'un toast et d'une cigarette. Elle demeura debout derrière lui, attendant qu'il ait mangé d'abord le pamplemousse, puis ses flocons d'avoine, le regardant avec un air qui n'admettait aucune discussion. Il ne fallait surtout pas le laisser penser à autre chose. En le voyant commencer ses œufs et son pain grillé, elle se permit enfin de s'asseoir en face de lui et de se verser une seconde tasse de café.

— M. Wasserman est-il resté longtemps après mon départ ?

— Environ une demi-heure. Il trouve que je devrais veiller davantage sur toi, pour que tes vêtements soient toujours bien repassés et tes cheveux bien peignés.

— C'est moi qui dois faire plus attention, n'est-ce pas ? Est-ce que ça va maintenant ? Je n'ai pas mis d'œuf sur ma cravate ?

— Tu es parfait, David. Malheureusement, ça ne durera pas longtemps. Peut-être devrais-tu employer une épingle de col pour maintenir ta cravate ?

— Il faut une chemise avec un col spécial. J'ai essayé avec les miennes et j'ai cru m'étrangler.

— Et tu ne peux pas employer un fixateur pour tes cheveux ?

— Désires-tu que toutes les femmes me courent après ?

— Ne me dis pas que tu es au-dessus de cela. Cela te ferait grand plaisir. Mais parlons sérieusement, David. C'est important. M. Wasserman le dit lui aussi. Crois-tu vraiment qu'ils refuseront de renouveler ton contrat ? Qu'allons-nous faire ?

Il haussa les épaules :

— Prévenir le séminaire que je suis libre et ils me trouveront une autre congrégation.

— Et si la même chose se reproduit ?

— On s'adressera une fois de plus au séminaire.

Il se mit à rire :

— Te souviens-tu du rabbin Emmanuel Katz ? Et de sa femme, qui était si moderne ? Eh bien, il a perdu trois fois de suite son poste à cause d'elle. En été, elle portait des shorts et elle osait se montrer sur la plage en bikini, exactement comme toutes les femmes de sa génération. Mais ce que la congrégation tolérait chez les autres ne pouvait être convenable pour la femme du rabbin. Or, Emmanuel s'est entêté : il a refusé de faire des observations à sa femme. En fin de compte, on lui a offert une synagogue en Floride, parce qu'on s'est dit que tout le monde s'y habille en shorts et en bikini.

— Il a eu de la chance. Mais trouveras-tu une communauté dont les chefs porteront des vêtements froissés, seront perpétuellement distraits et oublieront leurs rendez-vous ?

— Je peux me consacrer à l'enseignement. Personne ne regarde comment s'habille un professeur.

— Alors, faisons-le tout de suite, David, et n'attendons pas d'être mis à la porte ailleurs. Tu peux enseigner les langues sémites dans une université, au séminaire même. Quel bonheur ! Plus de président de communauté qui critique la manière dont je tiens mon intérieur et mon mari...

Le rabbin souriait :

— Et moi, plus de déjeuner de congrégation.

— Et je n'aurais plus à sourire gracieusement chaque fois qu'un membre du conseil regarde dans ma direction.

— Parce que tu leur souris ?

— A en avoir une crampe aux mâchoires. Oh ! David, vite le professorat !

Il eut l'air surpris :

— Est-ce vraiment sérieux ?

Son visage était devenu grave :

— Ne crois pas que je sois indifférent à mon échec, Miriam. D'autant plus que, sans le savoir, ils ont besoin de moi. Il faut des rabbins dans mon genre pour qu'une communauté juive ne se dessèche pas sur place. Oh ! Nos braves gens déploient beaucoup d'activité, ils ont des clubs, des comités par douzaines, des groupes sociaux, sportifs, philanthropiques, des groupes d'études, un groupe de danse où l'on s'efforce d'interpréter quelque chose qui s'appelle *L'esprit du pionnier israélien* ; mais le groupe de chant ajoute *Minuit Chrétien* à son répertoire pour pouvoir prêter son concours aux églises pendant le temps de Noël. Est-ce là la communauté d'un peuple qui depuis trois mille ans se considère comme une nation de prêtres consacrés au service de Dieu ? Comment le croire quand tous leurs efforts vont dans le sens contraire et tendent

à démontrer qu'une synagogue n'est qu'une église
comme une autre ?

La sonnerie de la porte d'entrée l'interrompit. En
ouvrant, Miriam se trouva face à un petit homme
trapu au visage typiquement irlandais sous des cheveux d'un blanc de neige.

— Le rabbin David Small ?

Apercevant le rabbin qui s'approchait, il lui tendit
sa carte en se présentant : Hugh Lanigan, commissaire
de police de Barnard's Crossing.

— Puis-je vous parler seul à seul ?

— Naturellement. Que personne ne nous dérange,
Miriam.

Une fois la porte refermée sur eux, le rabbin offrit
un siège à son visiteur et s'assit lui-même, l'air interrogateur.

— Votre voiture est-elle demeurée toute la nuit
dans le parking de la synagogue, monsieur le rabbin ?

— Est-ce interdit ?

— Absolument pas. C'est une propriété privée, et si
quelqu'un a le droit de l'utiliser, c'est bien vous. D'une
façon générale, nous fermons les yeux sur les voitures
qui passent la nuit dans la rue à moins que ce soit
l'hiver et qu'elles gênent les chasse-neige quand il y a
tempête. Nous nous sommes toutefois demandés pourquoi vous ne l'aviez pas mise au garage.

— Evidemment, quelqu'un pouvait la voler. La
vérité est que je l'ai laissée à la synagogue faute de
clé de contact.

Il eut un sourire quelque peu gêné :

— J'ai passé la soirée dans mon bureau. En ressor-
tant, j'ai claqué la porte et je me suis aperçu que
j'avais laissé mon trousseau de clés à l'intérieur, sur

ma table de travail. Je ne pouvais même plus rentrer.
Je suis donc revenu à pied chez moi.

— On m'a dit que vous aviez un service religieux
tous les matins. Or vous n'y êtes pas allé aujourd'hui.

— En effet. Mais si quelques membres de ma
communauté peuvent s'en plaindre, ce ne sera certainement pas auprès de la police. Voyons, commissaire,
il s'est passé avec ma voiture quelque chose qui vous
intéresse et qui me concerne, sans quoi vous ne vien-
driez pas me demander pourquoi je ne me suis pas
rendu ce matin à la synagogue pour y faire mes prières.
Si vous me parlez franchement, je peux sans doute
vous aider.

— Nous devons appliquer certaines règles, monsieur
le rabbin. Mon bon sens me dit qu'en tant que faisant
partie du clergé, vous n'êtes mêlé en rien à cette
histoire, mais je suis policier...

— Vous me confondez avec un prêtre, commissaire.
Un rabbin n'est pas un prêtre. Nous n'avons aucun
devoir ni aucun privilège particuliers : la seule chose
qu'on me demande, c'est de connaître parfaitement
la Loi d'après laquelle nous devons vivre. Je ne fais
partie d'aucun clergé.

— Vous me facilitez la tâche, monsieur le rabbin.
Je serai franc avec vous. Ce matin, on a trouvé le
cadavre d'une jeune fille d'une vingtaine d'années sur
le terrain de la synagogue, juste derrière le petit mur
qui sépare le parking de la pelouse. Quelqu'un l'a tuée
à une heure quelconque de la nuit. Nous saurons
quand après l'examen du laboratoire.

— Tuée ?

— Oui, étranglée avec la chaîne d'argent qu'elle
portait en collier. Ce ne peut être un accident.

— Mais c'est terrible. Est-ce un membre de ma congrégation ? Quelqu'un que je connais ?

— Elle s'appelle Elspeth Bleech.

— Elspeth, c'est un nom peu commun.

— Une variante d'Elisabeth, naturellement. Assez courant en Angleterre. Elle venait de la Nouvelle-Ecosse.

— Une touriste ?

— Une gouvernante, monsieur le rabbin. Pendant la Révolution, plusieurs familles ont préféré s'installer au Canada et demeurer fidèles au roi d'Angleterre. Elles ont joué la mauvaise carte, et leurs descendants nous reviennent souvent comme domestiques. Elle travaillait chez les Serafino, peut-être les connaissez-vous ?

Le rabbin eut un sourire :

— Je ne crois pas avoir d'Italiens dans ma congrégation.

Le commissaire se mit à rire :

— Ce sont bien des Italiens, et vous ne les voyez pas chez vous parce qu'ils fréquentent mon église, Stella Maris.

— Je ne savais pas que vous étiez catholique, commissaire.

Il hésita un instant avant de poursuivre :

— Cette jeune fille, a-t-elle été attaquée, violée ?

— Il n'y a aucun signe de lutte, aucune meurtrissure, aucun vêtement déchiré. D'autre part, elle ne portait pas de robe, juste un slip sous un manteau léger avec, en plus, un de ces imperméables transparents en plastique. Le collier faisait juste le tour de son cou. Le meurtrier n'a eu qu'à y passer la main et à le tordre.

— C'est terrible, murmura le rabbin, vraiment terrible. Et cela a eu lieu sur le terrain de la synagogue ?

Le commissaire eut un froncement de lèvres :

— Nous n'en sommes pas sûrs. D'après ce que nous savons, elle a pu être tuée ailleurs.

— Alors, pourquoi l'y a-t-on amenée ?

Automatiquement, il ne pouvait s'empêcher d'évoquer les vieilles histoires par lesquelles on a tant de fois tenté de discréditer une communauté juive, le meurtre rituel par exemple...

— Parce qu'en étudiant bien la question, monsieur le rabbin, ce n'est pas un mauvais endroit dans un cas pareil. Votre première idée est qu'il existe beaucoup de coins semblables dans les faubourgs, mais c'est faux. Il y a toujours une maison ou un immeuble à proximité, et là où il n'y a pas de maison, les amoureux ont tendance à se donner rendez-vous. Voyez-vous, l'extérieur de votre synagogue est tout à fait indiqué. Il fait sombre, il n'y a pas d'habitations dans le voisinage immédiat, et la nuit les passants sont rares...

Il fit une petite pause :

—A propos, avez-vous vu ou entendu quelque chose ?

Le rabbin eut un sourire :

— Vous voulez savoir ce que j'ai fait hier soir. Eh bien, je suis parti de chez moi vers sept heures et demie ou huit heures. Je n'en suis pas très sûr parce je n'ai guère l'habitude de consulter ma montre, et la plupart du temps je n'en porte même pas. J'étais en train de prendre une tasse de thé avec ma femme et M. Wasserman, le président de notre association, quand Stanley, notre concierge, est venu me prévenir que la caisse de livres que j'attendais était arrivée et qu'il l'avait ouverte dans mon bureau. Je me suis excusé et ai pris ma voiture pour me rendre à la synagogue. Comme j'ai pris congé de M. Wasserman quelques minutes seulement après le départ de Stanley, il vous sera facile de savoir exactement l'heure en le leur demandant. J'ai mis ma voiture au parking et suis monté directement au second étage, dans mon bureau. J'y suis resté jusqu'après minuit. Je le sais parce que mon regard est tombé sur la pendulette de ma table de travail, qui indiquait minuit, et je me suis dit qu'il fallait que je rentre chez moi. Mais j'étais au milieu d'un chapitre et je ne suis pas parti immédiatement.

Soudain, une idée lui vint :

— Une chose vous aidera à préciser l'heure de mon retour : avant d'arriver chez moi, j'ai dû me mettre à courir car il y a eu une averse subite.

— Nous avons interrogé le bureau météorologique. C'est la première chose que nous avons faite, car la jeune fille portait son imperméable. Il était minuit quarante-cinq.

— En général, je mets une vingtaine de minutes pour marcher de la synagogue à chez moi. Je le sais parce que nous le faisons le vendredi soir et le samedi. Mais peut-être ai-je marché plus lentement hier, car je pensais aux livres que je venais de lire.

— Vous avez couru une partie du chemin.

— Oh ! les deux cents derniers mètres, rien de plus. Disons que j'ai mis vingt-cinq minutes, et nous ne serons pas loin de la vérité. J'aurais quitté la synagogue à minuit vingt.

— Avez-vous rencontré quelqu'un en cours de route ?

— Non. Juste un agent. Je suppose qu'il me connaît car il m'a dit bonsoir.

— Ce doit être Norman. Il s'arrête toujours dans sa ronde à la cabine téléphonique de Vine Steet, juste après la synagogue, pour faire son rapport. Quand je le verrai, il confirmera l'heure.

— Vous voulez dire qu'il l'a notée ?

— Il s'en souviendra. C'est un garçon tout à fait bien. Mais dites-moi, quand vous êtes entré dans la synagogue, vous avez allumé la lumière.

— Non, il ne faisait pas encore nuit.

— Vous l'avez fait dans votre bureau ?

— Naturellement.

— Si bien qu'un passant a pu le remarquer.

Le rabbin réfléchit un instant puis secoua la tête :

— Certainement pas. J'ai seulement allumé la lampe de ma table de travail. J'ai bien ouvert la fenêtre, mais en fermant complètement les persiennes vénitiennes.

— Pourquoi donc ?

— Franchement, je ne voulais pas être dérangé. Un membre de ma congrégation pouvait passer, apercevoir la lumière et monter pour bavarder.

— Si bien que personne n'a pu se douter que vous étiez là. C'est bien cela, monsieur le rabbin.

Après avoir encore hésité, le rabbin acquiesça d'un signe de tête. Il s'aperçut que le commissaire souriait.

— Est-ce un détail important pour vous, commissaire ?

— C'est la question de l'heure du meurtre. Si quelqu'un avait vu la lumière et remarqué simultanément votre voiture dans le parking, il se serait dit que vous pouviez sortir d'un moment à l'autre. Dans ce cas,

nous étions certains que l'assassin a jeté le corps de
sa victime derrière le petit mur *après votre départ*.
Mais si l'immeuble lui a paru complètement sombre,
il a pensé peut-être que vous n'aviez pu faire démarrer
votre voiture, que vous l'aviez laissée là pour la nuit.
Il a pu tuer pendant que vous étiez en train de lire.
D'après l'impression du médecin, cette jeune fille est
morte vers une heure, mais ce n'est qu'une estimation
que précisera l'analyse. Si on avait pu voir la lumière
de votre bureau, cette estimation se trouverait confir-
mée. Malheureusement, ce n'est pas le cas.

— Je comprends.

— Réfléchissez bien, monsieur le rabbin. Vous
n'avez rien vu ni entendu d'inhabituel ? Pas un cri,
pas un bruit de moteur, celui d'une auto dans le
parking ?

— Absolument pas.

— Et vous n'avez rencontré personne...

— Sauf votre agent de police.

— Et vous ne connaissez pas Elspeth Bleech ? Elle
vivait à peu de distance de la synagogue, chez les
Serafino. Une fille d'une vingtaine d'années, un mètre
soixante-cinq environ, bien en chair, mais assez attirante. Je serai bientôt en mesure de vous montrer une
photo.

Le rabbin secoua la tête :

— Votre description s'applique à beaucoup de
jeunes filles que je peux connaître. Franchement, rien
ne me vient à l'esprit pour le moment.

— Permettez-moi de poser différemment ma question : avez-vous emmené en voiture, hier ou avant-
hier, une jeune fille qui réponde à ma description ?

— Tout comme un prêtre catholique ou un pasteur,

un rabbin est nécessairement prudent pour ce genre de choses. Il m'est impossible de faire monter une jeune femme inconnue dans ma voiture. Les gens pourraient s'y tromper. Non, je n'ai emmené personne.

— Votre femme peut l'avoir fait ?

— Elle ne conduit pas.

Lanigan se leva en tendant la main :

— Je vous remercie d'avoir bien voulu m'aider, monsieur le rabbin.

— Je suis à votre disposition.

Arrivé à la porte, le commissaire s'arrêta :

— J'espère que vous n'allez pas avoir besoin de votre voiture pendant quelques jours. Mes hommes sont en train de l'examiner.

Le rabbin ne put cacher sa surprise.

— Nous avons trouvé à l'intérieur le sac de la victime.

CHAPITRE IX

Hugh Lanigan connaissait Stanley comme il connaissait tous les habitants de la Vieille Ville. Il travaillait dans le vestiaire et était en train d'installer une longue table où les dames de la communauté féminine serviraient les petits gâteaux et le thé qui accompagnaient le service du vendredi soir.

— Je viens pour cette affaire, Stanley.

— Naturellement, commissaire. Mais j'ai déjà dit à Eben Jennings tout ce que j'en sais.

— Eh bien, redites-le-moi. Vous êtes allé hier soir chez le rabbin pour lui annoncer l'arrivée d'une caisse de livres...

— Oui, on me l'a livrée vers six heures. C'était un service rapide : le Robinson's Express.

— A quelle heure avez-vous vu le rabbin ?

— Vers sept heures et demie. La caisse était lourde et au début, j'ai pas compris que c'étaient les « quelques » livres qu'il attendait. Puis j'ai vu que ça venait du Collège Dropsie, comme il me l'avait annoncé. C'est un drôle de nom, et je m'en suis souvenu parce que ma tante Mattie... oui enfin... elle avait...

— Peu importe. Parlez-moi seulement de la caisse.

— Eh bien j'ai vu le nom, et je me suis souvenu que c'était l'endroit d'où les livres devaient venir. Alors, je m'suis dit : ce sont les livres. Et savez-vous, commissaire, vous n'allez pas m'croire : le rabbin, c'est un type tout ce qu'il y a de chic, mais si vous lui donnez un marteau, il ne saurait pas avec quel bout frapper. Alors, il n'y avait pas d'bon Dieu, livres ou pas livres, de toute façon, il fallait qu'j'ouvre la caisse, n'est-ce pas ? Je l'ai portée au deuxième étage, cette saleté de caisse, et c'était lourd. Et je l'ai ouverte. Puis je m'suis dit après avoir fini de tout ranger : « Et si j'allais l'prévenir, le rabbin ? » Il était si impatient, et de toute façon, c'était sur mon chemin, n'est-ce pas ?

— Où habitez-vous maintenant, Stanley ?

— J'ai une chambre chez la mère Schofield.

— Vous ne viviez pas à la synagogue auparavant ?

— Eh oui ! C'était l'bon temps. J'avais une pièce au grenier. C'est chouette d'avoir son travail chez soi ! Mais ils en ont décidé autrement. Ils me donnent quelques dollars de plus par mois, le loyer d'une chambre, et depuis je suis chez la mère Schofield.

— Pourquoi vous ont-ils dit de partir ? demanda Lanigan.

— Commissaire, j' vais vous dire la vérité. Ils ont découvert que j'étais pas toujours seul. C'était seulement de temps en temps, commissaire, et j' faisais pas d' bruit. Pas dans un temple, c'est pas mon genre. Seulement deux ou trois copains pour bavarder en buvant un peu de bière. Alors, j' crois qu'ils ont eu peur qu'on fasse du boucan un jour, pendant qu'ils font leur prière...

Il se donna une grande claque sur la cuisse en riant :

— Et que Dieu nous entende plutôt qu'eux, pas vrai, commissaire ?

— Et alors ?

— Alors, ils m'ont demandé de chercher une chambre, et ils la paient. Il n'y a pas eu une discussion, tout s'est bien passé.

— Et dans le nouveau bâtiment, il n'y a pas de chambre pour vous ? Vous n'y passez jamais la nuit ?

— Si parfois, en hiver, après une grosse chute de neige, quand il faut que je déblaye les allées de très bonne heure. J'ai un lit de camp dans la chaufferie.

— Montrez-moi ça.

Tous deux descendirent l'escalier en fer, puis Stanley s'effaça devant une porte étanche revêtue de plaques d'acier. A l'intérieur, la chaufferie était d'une propreté méticuleuse, mais les couvertures du lit de camp n'étaient pas pliées. Lanigan les montra du doigt :

— Elles sont comme ça depuis la dernière chute de neige ?

— Je m'allonge presque tous les après-midi pour faire la sieste.

Voyant le commissaire examiner les mégots du cendrier, il ajouta :

— J' vous l'ai dit, commissaire : j'amène jamais personne ici.

Lanigan s'installa dans le fauteuil d'osier et contempla longuement la galerie d'art de Stanley, qui se mit à rire bêtement. Le policier lui fit signe de s'asseoir sur le lit :

— Alors, reprenons tout. Vous êtes passé à sept

heures et demie chez le rabbin. Ne pouviez-vous pas
attendre le lendemain ? Saviez-vous que le rabbin allait
quitter son domicile hier soir ?

La question parut étonner Stanley :

— Naturellement. Le rabbin vient souvent le soir
pour lire et étudier.

— Qu'avez-vous fait ensuite ?

— Je suis rentré chez moi, mais avant j'ai été dîner
et boire mes deux bières à la « Ship's Cabin ».

— Et vous êtes resté toute la soirée chez la mère
Schofield ?

— Jusqu'à dix heures seulement. Après je suis
ressorti boire une bière. Toujours à la « Ship's Cabin ».

— A quelle heure êtes-vous rentré ?

— Vers minuit. Un peu plus tard peut-être.

— Directement ?

L'homme hésita un instant :

— Si l'on peut dire...

— Quelqu'un vous a vu rentrer ?

— Personne. J'ai marché, moi.

— A quelle heure avez-vous commencé à travailler
ce matin ?

— Comme d'habitude, un peu avant sept heures.
Ils ont service à la chapelle vers sept heures et demie.
J'allume et j'ouvre les fenêtres pour faire un peu
d'air. Puis je me mets au travail : à cette époque de
l'année, c'est la pelouse : hier, c'était du côté de Maple
Street. Je fais comme ça tout le tour du bâtiment,
petit à petit. Et c'est ainsi que j'ai découvert la jeune
fille. Ils sortaient de la synagogue et reprenaient leurs

voitures quand je l'ai aperçue contre le mur de brique.
Je me suis approché et j'ai vu tout de suite qu'elle était
morte. Par-dessus le petit mur, j'ai appelé M. Musinsky,
un client régulier, je veux dire qu'il vient tous les
matins. Il n'était pas encore entré dans sa voiture,
voilà pourquoi je l'ai appelé. Il est venu jeter un coup
d'œil et il s'est précipité à l'intérieur pour vous téléphoner à vous autres.

— En arrivant, vous avez remarqué la voiture du
rabbin. Cela ne vous a pas étonné de la voir là ?

— Pas du tout. Je m' suis dit : « Tiens, il est arrivé
de bonne heure pour dire sa prière. » Puis quand j'ai
vu qu'il n'était pas dans la chapelle, j'ai pensé qu'il
était dans son bureau.

— Et vous n'êtes pas monté au second pour vérifier ?

— Vérifier quoi ?

Lanigan se leva et Stanley fit de même. L'un derrière l'autre, tous deux prirent le couloir. Puis, tout
en marchant, le commissaire tourna la tête :

— Vous l'avez reconnue, naturellement ?

— Non, dit Stanley très vite.

Lanigan lui fit face :

— Vous voulez dire que vous ne l'aviez jamais vue ?

— Qui ça ? La fille que...

— Oui, la fille que... Qui donc d'autre ?

— Eh bien, en travaillant à l'extérieur, je vois naturellement du monde. Je l'ai vue, avec deux petits
gosses, des Italiens, dont elle s'occupe.

— La connaissiez-vous ?

Stanley s'énervait :

— J' vous dis que j' l'ai vue, vue seulement.

— Et vous n'avez jamais essayé de flirter avec elle ?
Ne proteste pas, Stanley, on te connaît.

— Eh bien non, commissaire !

— Même pas un petit mot ?

Stanley retira de sa poche un mouchoir sale et
commença à s'éponger le front.

— Qu'y a-t-il, Stanley ? Il fait chaud.

— Bon Dieu, commissaire, vous essayez de me mêler
à tout ça. Naturellement, je lui ai parlé. Voici une
jeune fille qui arrive avec deux enfants pendant que
je travaille à l'extérieur, et l'un des gosses commence
à tirailler mes arbustes. Vous pouvez croire que j'ai
élevé la voix ! Mais je ne suis jamais sorti avec elle ou
quelque chose comme ça.

— Vous ne lui avez jamais montré votre petit
enclos à cochonnerie, en bas, dans la chaufferie ?

Stanley n'en démordait pas :

— Je lui ai juste dit : « Bonjour », ou encore : « Il
fait beau ce matin. » Et la plupart du temps, elle n'a
même pas répondu.

— Comment saviez-vous que les gosses étaient
italiens ?

— Parce que je les ai vus avec leur père, Serafino,
et je le connais bien, lui. J'ai bricolé aussi chez lui.

— Quand cela ?

— Quand je l'ai vu ? Il y a deux ou trois jours. Il
arrive dans sa décapotable et quand il voit la fille avec
ses gosses, il crie : « Qui veut avoir une glace avec
papa ? » Et tous de s'empiler sur le siège avant. Et

quand les gosses ont commencé à se battre pour être près de la portière, elle s'est poussée pour leur laisser la place, et ce vieux salaud, lui, avait l'air de la peloter. C'était dégueulasse...

— Parce que ce n'était pas vous, Stanley.

— Moi, en tout cas, je ne me suis pas marié et je n'ai pas d'enfants, commissaire.

CHAPITRE X

Chez les Serafino, la matinée fut orageuse. Bien qu'elle se couchât tôt le jeudi, Mme Serafino ne se levait généralement pas avant dix heures. Elle avait été réveillée en sursaut par les enfants qui, après avoir tambouriné sans résultat à la porte d'Elspeth, avaient fait irruption chez elle pour être habillés.

Furieuse, elle avait enfilé une robe de chambre et était descendue à son tour pour la réveiller. En vain avait-elle frappé, appelé. Du moment qu'Elspeth ne répondait pas, c'est qu'elle n'était pas dans sa chambre, ce qui signifiait qu'elle avait découché. Pour une domestique à demeure, c'était un manquement impardonnable qui ne pouvait être sanctionné que par un renvoi immédiat. Elle allait sortir pour jeter un coup d'œil par la fenêtre et avoir ainsi la confirmation de ses soupçons quand un coup de sonnette résonna à la porte d'entrée.

Ce devait être Elspeth, elle en était certaine ! Elle allait entendre une histoire à dormir debout, un car raté, une clé perdue ! Elle courut d'un trait à la porte et l'ouvrit toute grande. Un policier en uniforme demeura bouche bée devant la robe de chambre entrou-

verte et, pendant un instant, elle resta aussi interdite
que lui. Puis, le voyant rougir, elle se drapa rapidement
dans les pans du peignoir.

Ce qui suivit fut une sorte de cauchemar. D'autres
policiers survinrent, les uns en uniforme, les autres
en civil. Le téléphone n'arrêtait pas de sonner, toujours pour la police. Son mari, qu'elle avait réveillé,
dut s'habiller en hâte et suivre l'un des agents pour
identifier le corps. Comme elle voulait l'accompagner,
un inspecteur s'y opposa :

— Croyez-moi, madame. Ce n'est pas très beau à
voir...

D'une façon ou d'une autre, les enfants arrivèrent
à prendre leur petit déjeuner, à être lavés et habillés.
Pendant qu'elle buvait elle-même une tasse de café, on
la questionna. Ce fut un interrogatoire dans les formes,
avec un policier assis en face d'elle tandis qu'un autre
sténographiait ses réponses. Puis, tout en mesurant
et en photographiant la chambre de la jeune fille, ils
recommencèrent à poser des questions, à l'improviste,
comme pour la surprendre.

Ils partirent enfin, mais la sonnette de la porte
retentit de nouveau au moment même où elle décidait
de s'allonger sur le divan pendant que les enfants
jouaient derrière dans la cour. C'était son mari. Anxieu-
sement, elle scruta ses traits tirés :

— Alors, c'est bien elle ?

— Et comment ! D'ailleurs, ce ne pouvait être
qu'elle. Crois-tu que les flics seraient venus me chercher sans cela ?

— Mais pourquoi avaient-ils besoin de toi ?

— C'est la loi : il faut identifier le corps. C'est
toujours comme ça.

— Ils t'ont interrogé ?

— Les flics posent toujours des questions.

— Mais lesquelles ?

— Avait-elle des ennemis ? Comment s'appelait son petit ami ? Qui fréquentait-elle ? Etait-elle bouleversée ces derniers jours ? Quand l'avais-je vue la dernière fois ?

— Et qu'as-tu répondu ?

— Que veux-tu que je réponde ? Je leur ai dit que je ne lui connaissais pas de petit ami, que la seule personne qu'elle fréquentait est Celia, cette fille qui travaille chez les Hoskins, qu'à mon point de vue elle m'a toujours paru une brave fille et qu'elle n'avait pas l'air bouleversée.

— Et leur as-tu dit quand tu l'as vue pour la dernière fois ?

— Evidemment. Hier, entre une heure et deux heures. Mais bon Dieu ! Pourquoi toutes ces questions ? Je sors de chez les flics et ça recommence avec toi ! Et je n'ai même pas bu une tasse de café de toute la matinée !

— Je te sers tout de suite, Joe. Veux-tu du pain grillé, des œufs, des flocons d'avoine ?

— Absolument rien. Du café seulement. J'ai l'estomac complètement noué.

Tout en s'affairant, elle demanda sans retourner la tête :

— Quand tu l'as vue hier, était-ce une heure ou deux heures ?

Il leva la tête pour contempler le plafond :

— Voyons un peu. J'ai pris mon petit déjeuner vers midi, n'est-ce pas ? C'est à ce moment-là. De toute façon, je l'ai entendue ensuite quand elle faisait déjeuner les gosses et quand elle les a emmenés se coucher pour la sieste.

— Et tu ne l'as pas revue ?

— Qu'est-ce que tu as dans l'esprit ?

— Tu as dit que tu voulais l'emmener en voiture à Lynn, n'est-ce pas ?

— Et alors ?

— Alors, je me suis demandé si tu l'avais rencontrée de nouveau avant qu'elle prenne le car ? Ou à Lynn ?

Une bouffée de sang colora la face basanée de l'Italien. Lentement, il se leva de la table de cuisine :

— Vas-y ! Accouche ! Qu'est-ce que tu insinues ?

Elle avait peur maintenant, mais elle était allée trop loin pour reculer :

— Tu crois que je n'ai pas remarqué ta façon de la regarder ? Comment saurais-je où tu la rencontres, à Lynn, ou ici même peut-être ?

— Ça recommence ! Je regarde une souris et ça veut dire que je couche avec elle. Et quand je ne veux plus d'elle, je l'assassine ! Une bonne citoyenne comme toi devrait prévenir les flics...

— Je sais bien que tu ne l'as pas tuée, Joe. Je pense seulement que quelqu'un t'a peut-être vu avec elle. Alors, je pourrais dire que c'est moi qui l'ai envoyée faire une course, avec toi.

Il prit le sucrier et le soupesa :

— Je devrais t'écraser ça sur la gueule, voilà ce que je devrais faire...

D'un seul coup, elle se mit à crier :

— Essaie donc ! A moi, tu ne peux pas raconter d'histoires, mon petit Joe. Ne me dis pas que tu ne ferais jamais de plat à une fille qui couche sous ton

toit ! Je t'ai vu aider Elspeth à descendre de voiture
quand tu l'as emmenée avec les gosses sous le pré-
texte de leur acheter des glaces. Je t'ai vu te frotter
à elle. Ce n'est pas moi que tu aides à descendre de
voiture ! Oui, je t'ai vu par la fenêtre de la cuisine.
Et la fille précédente, Gladys ? Vas-tu me dire qu'il
n'y a rien eu entre elle et toi, alors qu'elle se baladait
pratiquement en costume d'Eve dans sa chambre, en
laissant la porte entrouverte chaque fois que tu étais
dans la cuisine ? Et combien de fois...

   Un nouveau coup de sonnette. C'était Hugh Lanigan :
   — Madame Serafino ? Puis-je vous poser quelques
questions ?

CHAPITRE XI

Alice Hoskins, domiciliée 57 Bryn Mawr, mère de deux enfants et manifestement enceinte d'un troisième, fit entrer le commissaire dans son salon. Une moquette d'un blanc nacré recouvrait le plancher. Les meubles aux formes étranges et en bois de teck poli venaient indiscutablement du Danemark, mais on s'y trouvait fort à l'aise une fois assis. Une table basse, une simple planche de noisetier noir supportée par quatre pieds de verre, attendait le café. Une grande peinture abstraite où l'on entrevoyait vaguement une tête de femme ornait l'un des murs. Sur un autre, le commissaire remarqua un masque d'ébène dont les traits taillés au couteau étaient rehaussés de blanc. Il y avait des cendriers de cristal taillé un peu partout, la plupart pleins de bouts de cigarettes et de cendres. On ne pouvait marcher sans buter sur un jouet d'enfant ; un sweater rouge avait été jeté en désordre sur un fauteuil de fer forgé et de cuir blanc ; un verre de lait à moitié plein traînait sur la cheminée, ainsi qu'un journal froissé sur le divan.

D'un revers de main, Mme Hoskins, une grande femme maigre en dépit de son ventre proéminent,

balaya le journal qui tomba par terre. Après avoir
offert une cigarette à Lanigan, elle lui tendit une boîte
d'allumettes en lui montrant un grand briquet de
table :

— Il ne marche plus.

Puis, sur la même lancée :

— Laissez-moi vous offrir un martini, commissaire,
je vous tiendrai compagnie. Celia est dehors avec les
enfants, mais elle sera bientôt de retour.

Sans perdre un instant, il posa sa première question :

— Elle était très amie avec Elspeth, n'est-ce pas ?

— Celia est amie avec tout le monde, commissaire.
C'est une de ces filles qui sont pleines de bonne
volonté. Une fille aussi naturelle s'occupe toujours
de quelque chose : il lui faut étudier, ou faire du
sport, ou s'intéresser à une cause quelconque. Celia
est sportive et amicale avec tous. Et elle adore les
enfants qui le lui rendent bien. Moi, je les fabrique,
et elle s'occupe d'eux.

— A-t-elle été longtemps avec vous ?

— Depuis ma première grossesse : elle est arrivée
un mois avant la naissance de l'aîné.

— Elle est donc plus âgée qu'Elspeth ?

— Certainement. Celia a vingt-huit ou vingt-neuf
ans.

— Vous parlait-elle d'Elspeth ?

— Nous parlons ensemble de tout. Voyez-vous, nous
sommes plutôt de bonnes camarades. Celia est une
fille intelligente bien qu'elle ne soit guère instruite.
Elle est sortie très tôt de l'école, mais elle a vu beaucoup de choses et elle juge parfaitement les gens.
Elspeth lui faisait de la peine : elle était si timide.
Elle n'aimait pas sortir. Celia va régulièrement au

bowling, à la plage, elle aime danser, patiner. Elspeth s'y est toujours refusée.

Lanigan tira de sa poche une photo représentant la jeune fille avec les enfants Serafino.

— C'est le seul portrait que nous avons d'elle. A votre avis, celui lui ressemble-t-il ?

— Tout à fait.

— Est-ce l'une de ses expressions caractéristiques ? Voyez-vous, madame, nous la donnerons peut-être aux journaux.

— Avec les deux enfants ?

— Nous les effacerons d'abord.

— Evidemment, il faut satisfaire la curiosité du public, mais je ne savais pas que la police se prêtait à ce jeu.

Son ton était très froid, et le commissaire se mit à rire :

— Nous voyons la chose autrement, madame. En publiant cette photo, la presse nous aide. Peut-être pourrons-nous reconstituer sa journée d'hier.

— Je vous demande pardon... Oui, c'est bien elle. Cette fille était vraiment attirante. Un peu forte peut-être, mais pas de graisse. La belle femme bien bâtie, dirais-je. Je l'ai vue souvent les cheveux tirés en arrière et pas arrangée du tout quand elle s'occupait des enfants. Mais une fois, je l'ai aperçue en talons hauts et en robe d'après-midi avec ses cheveux mis en plis : elle était charmante. C'était quelques jours après son arrivée chez les Serafino. Ah ! Je me rappelle, c'était en février, pour l'anniversaire de Washington. Nous avions acheté deux billets pour le bal des Policiers et des Pompiers. Naturellement, nous les avons donnés à Celia...

— Naturellement, murmura le commissaire.

Elle rougit, puis se décida :

— Je vous demande pardon, commissaire ?

— Je vous en prie, chère madame. C'est une règle générale : les maîtres achètent les billets pour ce bal et les domestiques y vont.

— Et Celia, au lieu d'inviter un de ses flirts a pris Elspeth avec elle. Et si Elspeth est venue ici, c'est parce que mon mari les y a menées toutes deux en voiture.

Il y eut un grand bruit dans l'entrée :

— Voici Celia avec les enfants.

On aurait dit que la porte du salon faisait explosion vers l'intérieur. Une seconde plus tard, Lanigan se trouvait au centre d'un tourbillon constitué par les deux enfants, Mme Hoskins, et la grande fille simple qu'était Celia.

— Je vais les faire déjeuner, Celia. Comme cela, vous pourrez parler avec ce monsieur. C'est au sujet d'Elspeth.

— Je suis le commissaire Lanigan, commença-t-il dès qu'ils furent seuls.

— Je sais. Je vous ai vu au bal des Policiers et des Pompiers au dernier anniversaire de Washington. Vous avez ouvert le grand défilé avec votre femme. Ce qu'elle est bien !

— Je vous remercie.

— Et vive, hein ? Je veux dire qu'on voit tout de suite qu'elle a quelque chose à l'étage supérieur.

— A l'étage supérieur ? Ah oui ! Vous avez raison, Celia. Vous jugez parfaitement les gens. Dites-moi alors ce que vous pensiez d'Elspeth.

Du coup, elle se mit à réfléchir :

— Eh bien, la plupart des gens ont vu en elle une fille calme, silencieuse, mais, à mon point de vue, elle ne l'était qu'en surface.

— Que voulez-vous dire ?

— Elle avait une certaine retenue... Ce n'était pas de la prétention, de la réserve plutôt. Quand elle est arrivée, elle était seule ici, sans amis, et en tant qu'ancienne dans le quartier, j'ai cru devoir la piloter, la faire sortir un peu. Justement, M. Hoskins venait de me donner les deux billets pour le bal des Policiers et des Pompiers. Je l'y ai invitée et nous y sommes allées. Elle a passé une très bonne soirée. Elle n'a pas raté une danse, et, pendant l'entracte, il y avait un garçon qui ne l'a pas quittée d'une semelle.

— Et elle avait l'air heureux ?

— A sa façon, oui. C'était pas le genre petite poule qui glousse tout le temps, mais son expression était paisible, détendue.

— C'était un commencement excellent.

— Et ça a été la fin. Je l'ai invitée ensuite plusieurs fois à des bals et je connais des quantités de garçons qui n'auraient pas demandé mieux que de passer avec elle tous leurs jeudis soirs. Elle a toujours refusé.

— Pourquoi ?

— Elle prétextait qu'elle ne se sentait pas bien, ou qu'elle était fatiguée, et qu'elle voulait rentrer tôt le soir, ou encore qu'elle avait la migraine.

— C'était peut-être vrai.

Celia secoua vigoureusement la tête :

— Une fille qui refuse de sortir avec son amoureux parce qu'elle a la migraine, ça n'existe pas. Je me suis dit qu'elle manquait peut-être de robes à la mode et qu'elle en avait honte, mais il doit y avoir une autre raison.

Sa voix baissa d'un ton :

— Un jour, nous devions aller au ciné, et j'attendais dans sa chambre qu'elle ait fini de s'habiller. Je regardais les choses qui traînaient sur sa table pendant qu'elle s'arrangeait les cheveux. Il y avait là une boîte, une sorte de coffret à bijoux, plein d'épingles, de boutons, de colliers, etc. Et en jetant un coup d'œil à l'intérieur — non pas par curiosité, mais pour passer le temps, sans penser à mal — j'ai aperçu une alliance. Alors, je lui ai dit : « Dis donc, Elspeth, est-ce que tu penses te marier un de ces jours ? » juste pour plaisanter, n'est-ce pas ? Mais elle est devenue toute rouge et a refermé aussitôt le coffret en expliquant que cette alliance avait appartenu à sa mère.

— Croyez-vous qu'elle pouvait être mariée en secret ?

— Cela expliquerait son refus de sortir avec des hommes.

— Et qu'en pensait Mme Hoskins ?

— Je ne lui ai rien dit de cela : c'était le secret d'Elspeth. Si j'en avais parlé à Mme Hoskins, elle l'aurait peut-être répété à quelqu'un d'autre, les Serafino pouvaient l'apprendre et Elspeth perdait sa place. D'ailleurs, ce n'aurait pas été un mal : je lui ai dit souvent qu'elle devait chercher quelque chose d'autre.

— Elle n'était pas bien traitée chez Mme Serafino ?

— Je crois que si. Ce n'était pas une paire de copines comme moi avec Mme Hoskins, mais mon cas est assez rare. Ce qui m'ennuyait, ce sont les soirées qu'elle

passait seule dans cette maison avec les gosses, avec
sa chambre au rez-de-chaussée.

— Avait-elle peur ?

— Elle a eu peur au début, puis elle s'est habituée.
Le quartier est tranquille. Je pense qu'elle s'est
rassurée au bout d'un certain temps.

— Et maintenant, parlons d'hier. Vous a-t-elle dit
ce qu'elle avait l'intention de faire ?

— Je ne l'ai pas vue de toute la semaine, sauf
mardi dernier en faisant un tour avec les gosses. Elle
m'a dit qu'elle ne se sentait pas bien et qu'elle allait
consulter un médecin pour savoir ce qu'il en était,
puis qu'elle irait ensuite voir un film. Je me rappelle
même qu'elle a parlé de l'Elysium. Je lui ai fait observer que c'était un film qui n'en finissait pas. Elle m'a
répondu qu'elle pouvait prendre le dernier car et
qu'elle n'avait pas peur de rentrer ensuite à pied.
C'est là que je l'ai prévenue du danger...

Des larmes montèrent à ses yeux et elle s'interrompit pour les essuyer avec son mouchoir.

Les enfants étaient de retour et contemplaient les
deux adultes avec des yeux ronds. En voyant pleurer
Celia, l'un se précipita vers elle pour la consoler tandis
que l'autre se ruait sur Lanigan, ses deux petits poings
levés.

— Du calme, du calme, jeune homme ! dit Lanigan
en riant et en le tenant à distance.

Mme Hoskins surgit aussitôt :

— Il croit que c'est vous qui faites pleurer Celia.
N'est-il pas gentil ? Allons, viens, Stephen : viens avec
maman.

Il fallut quelque temps pour calmer les enfants et

les faire sortir de la pièce. Lanigan et Celia se retrouvèrent seuls :

— Dites-moi pourquoi vous aviez peur pour elle. A quel danger pensiez-vous ?

Elle le regarda un instant avec des yeux vides, puis se souvint :

— D'abord, rentrer seule si tard, je lui ai dit que je ne le ferais pas à sa place. Il fait si sombre dans cette rue avec ces arbres.

— Vous ne pensiez à aucun danger particulier ?

— Mais c'est quelque chose de particulier.

Encore une fois ses yeux se remplirent de larmes :

— Elle était jeune et vraiment innocente. La jeune fille qu'elle a remplacée chez les Serafino était à peu près du même âge, mais nous n'avons jamais été très copines bien que nous soyons sorties souvent ensemble. Elle avait une grande expérience de la vie, mais Elspeth...

Elle s'arrêta net, puis d'un seul coup lâcha ce qui la tourmentait :

— Dites-moi, était-elle intacte quand on l'a trouvée ? Je veux dire : Est-ce que l'assassin ne l'a pas ?... On m'a dit qu'elle était toute nue.

Il secoua fermement la tête :

— Absolument pas. Il n'y a aucun signe qui puisse faire penser à une agression sexuelle. Et elle était habillée de façon décente.

— Cela me soulage un peu.

— De toute façon, ce sera dans les journaux du soir.

Il se leva :

— Je vous remercie de l'aide que vous m'avez

apportée. Si jamais vous vous souveniez d'autre
chose, faites-le-moi savoir.

— Vous pouvez compter sur moi.

Spontanément, elle lui tendait la main, et il éprouva
une légère surprise à la fermeté de sa poigne, tout
à fait celle d'un homme. Au moment de se diriger
vers la porte, une pensée inattendue lui vint :

— Et à propos, comment ce comportait M. Serafino
vis-à-vis d'Elspeth ? Correctement ?

Elle lui jeta un regard qui n'était pas dépourvu
d'admiration :

— Vous y venez, vous aussi. Eh bien, oui, elle lui
plaisait beaucoup. Il faisait semblant de ne pas s'apercevoir de sa présence, comme si elle n'existait pas,
mais dès qu'il se croyait seul, sans personne pour le
surveiller, il ne la quittait pas des yeux. C'est le genre
d'homme qui déshabille les femmes du regard, comme
disait Gladys, que ça amusait plutôt, et elle le provo-
quait.

— Et alors ?

— Mme Serafino a eu un accès de jalousie et elle
l'a mise à la porte. Mais moi, je dis que quand une
femme est jalouse de son mari, c'est qu'elle a des
raisons de l'être.

— Elle devrait engager quelqu'un de plus âgé.

— Et où trouverait-elle une femme plus âgée qui
accepte d'être gouvernante et bonne à tout faire six
jours par semaine, tout en veillant les enfants jusqu'à
deux heures et trois heures du matin ?

— En effet.

— Et enfin, lui aussi il a son mot à dire quand elle
engage une domestique...

CHAPITRE XII

Au commissariat de police de Barnard's Crossing, le lieutenant Eban Jennings, un homme plus près de soixante ans que de cinquante, épongeait sans arrêt ses yeux bleus :

— Je commence à pleurer dès la première semaine de juin et ça ne s'arrête que fin septembre.

Hugh Lanigan, qui venait de franchir la porte, le regarda avec commisération :

— C'est probablement de l'allergie, Eban. Avez-vous fait rechercher la cause ?

— Oui, il y a deux ans. Ils ont découvert que j'étais allergique à une quantité de choses, mais aucune d'elles n'explique pourquoi je commence à souffrir dès le mois de juin. A mon idée, ce sont les estivants.

— Ils n'arrivent qu'au début de juillet, eux aussi.

— Sans doute, mais rien qu'en pensant à eux, je suis déjà malade. Vous avez du nouveau sur la jeune fille ?

Lanigan jeta sur sa table la photo que lui avait remise Mme Serafino :

— Nous allons donner ça à la presse. Peut-être recevrons-nous un renseignement quelconque...

Jennings examinait attentivement le portrait :

— Pas mal, plus belle en tout cas que lorsque je l'ai vue ce matin. J'aime ce genre de femme bien bâtie. J'avoue que je n'ai pas beaucoup de goût pour les paquets d'os à la mode. Une fille, ce doit être du rembourré, vous voyez ce que je veux dire ?

— Et comment donc !

— Et j'ai aussi du neuf pour vous, Hugh : le rapport médical. Regardez le dernier paragraphe.

Le commissaire Lanigan siffla doucement entre ses dents :

— Elle était enceinte de deux mois.

— Qu'est-ce que vous en dites ? Il y a quelqu'un qui s'est débarrassé à temps de notre jeune fille.

— L'affaire prend un autre aspect. Tous ceux qui la connaissaient, Mme Serafino, son amie Celia, Mme Hoskins, ont été d'accord pour dire qu'elle était très timide et ne fréquentait aucun homme.

En voyant un policier passer devant la porte, il l'appela :

— Entrez, Bill. Il faut que je vous voie un instant.

— A vos ordres, chef.

William Norman était un jeune homme aux cheveux noirs, à l'allure extrêmement service. Bien qu'il eût connu Hugh Lanigan toute sa vie, il observa un garde-à-vous rigoureux jusqu'à ce que le commissaire lui fît signe de prendre une chaise. Même assis, il arrivait à donner l'impression d'être au garde-à-vous.

— Je suis désolé de ne pas vous avoir laissé la soirée libre, mais je n'avais personne pour vous remplacer. Franchement, un homme ne devrait pas être de service le soir de ses fiançailles !

— Ça s'est arrangé, chef. Alice a parfaitement compris.

— C'est une fille épatante, et elle fera une femme du tonnerre. Et la famille Ramsay est vraiment bien.

— Je vous remercie, chef.

— J'ai été élevé avec Bud Ramsay et j'ai connu Peggy quand elle portait des nattes. Ils sont un peu conservateurs, un peu bégueules, mais il n'y a pas meilleur qu'eux. Et je peux vous dire qu'ils n'ont pas protesté en vous voyant prendre votre tour régulier, bien au contraire.

— Alice m'a dit que tout le monde est parti peu après, si bien que je n'ai rien perdu. Et les Ramsay ne sont pas des gens qui aiment se coucher tard.

Lanigan s'installa à son bureau pour consulter la feuille de service :

— Voyons, vous avez pris votre service à vingt-trois heures hier soir.

— Oui, chef. Je suis parti de chez les Ramsay à vingt-deux heures trente pour me mettre en uniforme. La voiture de ronde m'a emmené jusqu'à Elm Square ; j'y étais quelques minutes avant vingt-trois heures.

— Vous avez remonté Maple Street jusqu'à Vine Street ?

— Oui, chef.

— A une heure du matin, vous deviez téléphoner de la borne de Vine Street.

— Je l'ai fait, chef.

Il fouilla dans la poche intérieure de sa veste et en tira un petit carnet :

— Il était exactement une heure trois.

— Qu'avez-vous vu entre Maple Street et Vine Street ?

— Rien d'anormal, chef.

— Vous n'avez pas rencontré quelqu'un en cours de route.

— Quelqu'un, chef ?

— Oui. N'avez-vous pas rencontré quelqu'un qui descendait Maple Street alors que vous la remontiez ?

— Non, chef.

— Connaissez-vous le rabbin Small ?

— On me l'a désigné une fois, et je l'ai aperçu depuis un peu partout.

— Il m'a dit qu'il vous avait croisé hier soir en rentrant chez lui à pied. Il venait de la synagogue. Il devait être minuit et demi.

— Non, chef. A cette heure-là, j'étais en train de vérifier la fermeture des portes du bloc Gordon. Il devait être environ minuit et quart. Et jusqu'à la borne, je n'ai vu personne.

— C'est étrange. Le rabbin m'a dit qu'il vous avait vu et que vous lui aviez dit bonsoir.

— Non, chef. Ce n'était pas hier. Je l'ai vu en effet il y a deux ou trois nuits et je lui ai alors adressé la parole. Mais hier soir, non.

— Qu'avez-vous fait en arrivant à la synagogue ?

— J'ai vérifié la porte. Il y avait une voiture dans le parking, et je l'ai examinée en l'éclairant à la torche. Puis j'ai téléphoné de la borne.

— Et vous n'avez rien vu, rien entendu d'anormal ?

— Absolument pas, chef. Sauf la voiture dans le parking, mais on ne peut pas dire que c'était anormal.

— C'est bien. Vous pouvez vous en aller.

Une fois le jeune homme sorti, Jennings leva les bras au ciel :

— Et le rabbin vous a dit qu'il avait vu Bill ? Il a

donc menti. Qu'est-ce que ça veut bien dire ? Croyez-vous qu'il puisse avoir fait le coup ?

— Un rabbin ? Ce n'est guère vraisemblable.

— Pourquoi pas ? Il vous a menti au sujet de Bill. Donc il n'était pas à l'endroit qu'il a dit : il était donc quelque part où il ne devait pas être.

— Pourquoi aurait-il menti sur un point aussi aisément vérifiable ? Ce serait idiot. Je croirais plutôt qu'il s'est trompé. C'est un savant plongé dans ses livres. Le président de leur congrégation était chez lui quand Stanley est arrivé pour lui signaler l'arrivée de quelques livres qu'il attendait. Savez-vous ce qu'il a fait ? Il l'a planté là avec sa femme pour courir à la synagogue et contempler ses chers bouquins jusqu'à plus de minuit ! Un homme comme celui-là peut se tromper d'un jour ou deux ou sujet d'une rencontre avec un agent de police. Il est même capable d'avoir confondu deux nuits distantes d'une semaine.

— Vous ne trouvez pas que sa manière d'abandonner un invité, surtout le président de sa congrégation, est un peu étrange ? Il vous a dit qu'il avait lu toute la soirée. Et s'il avait retrouvé la fille dans son bureau ? Les faits sont les faits, Hugh. Le médecin légiste a établi le moment de la mort. Il était environ une heure, à vingt minutes près dans un sens ou dans l'autre. Est-ce que ça colle ?

— Non. Il a admis qu'il était rentré chez lui à une heure moins vingt.

— Et s'il mentait également sur l'heure ? Personne ne l'a vu. On a trouvé le sac de la victime dans sa voiture, et, chose étrange, il n'est pas allé à la synagogue comme tous les matins. A-t-il voulu que d'autres découvrent le cadavre ? C'est un rabbin, soit. Mais

vous souvenez-vous du prêtre de Salem il y a deux ans ?
N'importe quel homme peut succomber à une histoire
de femme, même un prêtre catholique. Et d'autre part,
si ce n'est pas le rabbin, qui est-ce ?

— L'enquête vient de commencer. Les suspects ne
manquent pas. Stanley, par exemple. Il a les clés de
la synagogue, il a un lit de camp dans le sous-sol, et
le mur de la chaufferie est tapissé de photos de femmes
nues.

— C'est un saligaud, nous le savons bien.

— De plus, il a fallu porter la fille assez loin. Le
rabbin n'a rien d'un hercule et elle n'était pas un
poids plume. Stanley en est tout à fait capable.

— Et il se serait amusé à mettre le sac dans la voiture du rabbin ?

— Pourquoi pas ? Ou bien, il s'y serait simplement
installé pendant la pluie. Son tacot n'a même pas de
capote. Supposez de plus que l'assassin ait connu la
fille pendant quelque temps et qu'elle lui annonce
qu'elle est enceinte. De Stanley dans son sous-sol ou
du rabbin dans son bureau, sur qui peuvent tomber les
soupçons ? Et si c'était le rabbin, Stanley aurait découvert leur liaison depuis longtemps, ne serait-ce qu'en
faisant le ménage tous les matins. Tandis que le rabbin
ignorait pendant des années les plaisirs de Stanley.

— C'est juste. Qu'a dit Stanley ?

Lanigan haussa les épaules :

— Il a bu plusieurs bières à la « Ship's Cabin » puis
il est rentré chez lui. Il vit chez la mère Schofield,
mais personne ne l'a entendu rentrer. Il peut très bien
avoir rencontré la fille à la fin de la soirée.

— On peut le faire venir et l'interroger un peu plus
sévèrement...

— Mais nous n'avons aucun indice contre lui. Et il y a d'autres suspects, Joe Serafino, par exemple. Il peut avoir eu une liaison avec cette fille dans sa propre maison, en profitant des absences de sa femme qui, si elle revenait à l'improviste, était incapable de les surprendre car la chambre de la domestique fermait de l'intérieur. Voilà qui expliquerait bien des choses, l'absence de tout amoureux, la manière dont elle était habillée. Imaginons qu'elle rentre chez elle, qu'elle ôte sa robe, et que Joe Serafino survienne. Il la persuade de sortir un instant pour prendre l'air. Comme il pleut, elle passe simplement un léger manteau ; elle n'a pas à se gêner avec son amant, n'est-ce pas ?

L'idée enthousiasmait le lieutenant :

— Vous brûlez, Hugh. Mais oui, ils ont fait un petit tour, ils ont été surpris par la pluie et se sont réfugiés dans la voiture du rabbin...

— Enfin, Celia et Stanley ont fait allusion au comportement de Serafino, et j'ai l'impression que Mme Serafino elle-même n'était pas si sûre de son mari. Je regrette de ne pas l'avoir interrogé le premier.

— Mais moi, je l'ai questionné. Il est sorti directement de son lit pour identifier le cadavre. Il était bouleversé, mais pas plus qu'il n'est normal dans un cas pareil.

— Qu'a-t-il comme voiture ?

— Une Buick décapotable. En voilà un qu'il faut interroger *très* sérieusement...

Lanigan se mit à rire :

— Et nous découvrirons qu'il était à son club jusqu'à deux heures du matin, ce qui sera confirmé par une demi-douzaine d'employés et une douzaine de clients. Ce que j'essaie de prouver, c'est qu'il y a de nombreux suspects. Celia est la seule amie de la défunte. C'est une grande fille solide, forte comme un homme. Elle aussi...

— Elspeth était enceinte. Celia a beau être une gaillarde...

— Vous partez du principe que l'assassin est responsable de la grossesse. Ce n'est pas dit. Supposons que Celia soit amoureuse d'un homme qui préfère Elspeth.Cette dernière est enceinte, et Celia l'apprend. Il est tout naturel qu'Elspeth se soit confiée à elle, n'est-ce pas, et qu'elle lui ait dévoilé le nom du père.

— Mais d'après Celia, Elspeth ne fréquentait aucun homme.

— C'est ce qu'elle prétend. Celia est sortie ce soir-là, et Mme Hoskins ne l'a peut-être pas entendu rentrer. Imaginons qu'elle aperçoive de la lumière dans la chambre d'Elspeth. Elle l'appelle. Elspeth sort en jetant un manteau sur ses épaules. Elles commencent à parler en marchant, et comme il pleut quand elles arrivent à hauteur de la synagogue, elles se réfugient dans la voiture du rabbin. Elspeth prononce alors le nom de l'homme, et Celia, dans un accès de fureur, l'étrangle...

— C'est tout ?

Le commissaire sourit :

— Cela suffit pour commencer, non ?

— Oui, mais moi je tiens pour le rabbin... Et je vais le voir immédiatement.

Dès le départ du commissaire, le rabbin s'était rendu au temple. Il ne pouvait plus rien pour cette jeune fille ni pour aider la police. Mais du moment que le meurtre avait eu lieu sur le terrain de la synagogue, il sentait que sa présence y était nécessaire.

De son bureau, il se mit à regarder les allées et venues des policiers qui prenaient des mesures, photographiaient, suivis par un groupe d'oisifs — surtout des hommes — qui se renouvelait constamment tout en demeurant à peu près aussi nombreux.

Il n'y avait pas grand-chose à voir mais il n'arrivait pas à s'arracher de la fenêtre. Il avait abaissé les persiennes vénitiennes en les réglant de sorte qu'il ne pouvait être aperçu. Un agent en uniforme montait la garde devant sa voiture pour écarter tous ceux qui s'en approchaient. Des journalistes et leurs photographes apparurent, et il se demanda combien de temps ils mettraient à découvrir qu'il était sur place. Que pourrait-il leur dire ? Peut-être les renverrait-il simplement à Wasserman, qui à son tour les adresserait à l'avocat des affaires de la synagogue...

Un coup bref à la porte le fit sursauter : ce n'était pas la presse, mais la police. Un grand gaillard aux yeux larmoyants se présenta comme étant le lieutenant Jennings.

— Stanley m'a dit que vous étiez ici.

Le rabbin lui fit signe de s'asseoir.

— Nous aimerions mettre votre voiture à l'abri dans notre garage. Il faut l'examiner à fond et ce sera plus commode chez nous.

— Je vous en prie, lieutenant.

— Avez-vous choisi un avocat pour vous conseiller, monsieur le rabbin ?

— Est-ce nécessaire ?

— Nous désirons que les formalités aient lieu le plus amicalement possible. Ce n'est pas à moi de vous le dire, mais enfin un avocat pourrait insister sur le fait que pour enlever votre voiture, nous devons d'abord avoir l'autorisation du juge.

— Ce n'est pas la peine, lieutenant. Puisque cela peut vous aider dans cette effroyable affaire, prenez-la. Voici les deux clés, la plus grosse ouvre la malle arrière.

— Je vais vous faire un reçu.

— Cela aussi est inutile.

De sa fenêtre, il regarda l'officier de police s'asseoir devant le volant, puis disparaître, et il soupira d'aise en voyant que la foule s'éclaircissait immédiatement.

Plusieurs fois de suite, il tenta d'appeler sa femme : le téléphone était sans cesse occupé. Au bureau de Wasserman, une secrétaire répondit que le patron était absent pour toute la journée.

Il ouvrit un des livres, lut un passage, inscrivit une note sur une fiche, feuilleta un second livre, prit une seconde note. Et bientôt, le travail l'absorba.

Le téléphone sonna. C'était Miriam.

— J'ai été obligé de décrocher l'appareil, expliqua-t-elle. Dès que tu es parti, tout le monde a commencé à appeler pour avoir des nouvelles. Une âme compatissante m'a même annoncé que tu étais arrêté. Et toi, as-tu reçu beaucoup de coups de téléphone ?

— Pas un seul...

Il eut un petit rire assez triste :

— Sans doute ont-ils peur de se compromettre avec l'ennemi public n° 1 de Bernard's Crossing.

— David, ne plaisante pas avec ça, je t'en prie... Qu'allons-nous faire ?

— Faire ? Que veux-tu que nous fassions ?

— C'est qu'avec tout ce qui se passe... Mme Wasser-

man m'a appelé pour nous inviter à demeurer chez eux
pendant...

— Mais c'est absurde, Miriam. Ce soir, c'est le début
du sabbat, et j'ai bien l'intention de le passer chez
moi, et à ma propre table. Ne te fais aucun souci. Je
reviens dîner comme d'habitude et il y aura ensuite
office, comme tous les vendredis soirs.

— Que fais-tu maintenant ?

— Je travaille à mon étude sur Maimonide.

— Est-ce vraiment nécessaire ?

Elle semblait au bord des larmes, mais il répondit
simplement :

— Que veux-tu que je fasse d'autre ?

CHAPITRE XIII

Ce soir-là, il y eut quatre ou cinq fois plus de monde au service que d'habitude, au désespoir des membres de la communauté féminine, dont les gâteaux se trouvaient en nombre insuffisant pour la collation prévue par la suite.

Devant cette affluence, le rabbin se sentit de plus en plus gêné. Assis sur la plate-forme à côté de l'Arche Sainte, il s'encourageait dans sa décision de ne pas dire un mot sur la tragédie qui attirait tous ces gens. Plongé apparemment dans son livre de prières, il ne levait la tête que pour sourire à l'un des fidèles habituels, comme pour le distinguer de cette foule de curieux.

Myra Schwarz, la présidente de la communauté, s'asseyait généralement avec son mari assez à l'arrière, au sixième ou au septième rang. Ce soir-là, tandis que Ben prenait sa place de toujours, Myra continua à avancer jusqu'au deuxième rang, là où se trouvait la femme du pasteur. S'installant à son côté, elle lui prit la main et murmura quelques mots à son oreille. Miriam, après un mouvement de surprise, parvint à lui rendre son sourire.

Du coin de l'œil, le rabbin avait surpris la petite

scène. Ce geste inattendu de la femme la plus importante de la congrégation ne pouvait que le toucher,
mais en y réfléchissant, sa signification profonde
commença à lui apparaître. C'était la marque de sympathie qu'on offre à une femme dont le mari est suspect. Si tous ces gens étaient là, ce n'était pas seulement dans l'espoir de l'entendre évoquer le crime, mais
aussi pour chercher à déceler sur son visage une trace
quelconque de culpabilité. Non, il ne garderait pas
le silence, il parlerait.

Tout au long de son sermon, il ne fit aucune allusion
au drame. Mais à la fin du service, il releva la tête :

— Avant que les personnes en deuil se lèvent pour
réciter le Kaddish, je voudrais vous rappeler le sens
exact de cette prière.

Il y eut un mouvement général : tous se redressaient
sur leur banc et se penchaient en avant : il y venait,
enfin.

— On croit généralement que réciter le Kaddish est
un hommage qu'une personne endeuillée rend à son
cher disparu. En lisant cette prière, ou sa traduction
sur la page d'en face, vous découvrirez qu'on n'y parle
nulle part de la mort, qu'on n'y demande nulle part
le salut de l'âme du défunt. C'est plutôt l'affirmation
de notre croyance en Dieu, de notre foi dans Sa puis-
sance et dans Sa gloire. Que signifie donc cette prière ?
Pourquoi est-elle réservée à ceux qui ont perdu des
êtres chers ? Pourquoi alors que nous murmurons la
plupart de nos prières, disons-nous celle-ci à voix
haute ?

— C'est justement cette exception qui nous met sur
la voie. Le Kaddish n'est pas une prière pour les morts,
mais une prière pour des vivants. C'est la déclaration

manifeste par laquelle celui qui souffre encore de la disparition d'un des siens affirme qu'il garde intacte sa foi en l'Eternel. Néanmoins, notre peuple en est venu à considérer que le Kaddish est un hommage rendu aux défunts. Et parce que chez nous la tradition a force de loi, je réciterai le Kaddish avec ceux qui ont perdu un des leurs, pour quelqu'un qui n'était pas membre de notre congrégation, qui n'appartenait même pas à notre foi, quelqu'un dont nous savons fort peu de chose, sinon que son destin, par un tragique accident, affecte notre communauté... »

En retournant chez eux à pied, le rabbin et sa femme demeurèrent longtemps silencieux. Finalement, il se décida à parler :

— J'ai remarqué que Mme Schwarz s'est placée près de toi pour te témoigner sa sympathie.

— C'est une bonne personne, David ; elle a obéi à un mouvement du cœur, j'en suis sûre.

Et soudain, elle se tourna vers lui :

— Oh ! David, je commence à croire que tout cela peut tourner très mal...

— Moi aussi.

En approchant de chez eux, ils entendirent le téléphone qui sonnait.

CHAPITRE XIV

Dès le lendemain matin, il n'y avait guère qu'une vingtaine de personnes au service religieux. En rentrant chez lui, le rabbin y trouva le commissaire Lanigan :

— Je regrette de devoir vous déranger le jour du sabbat, mais nous devons poursuivre notre enquête : il n'y a pas de jour de repos chez nous.

— Je vous comprends, commissaire. Dans notre religion, il est entendu que les rites cèdent la préséance à tout ce qui est urgent.

— Nous en avons presque fini avec votre voiture. Nous pourrons vous la ramener demain, à moins que vous passiez la prendre vous-même. J'aimerais vérifier avec vous ce que nous y avons trouvé.

Il tira de sa serviette quelques sacs en plastique marqués à l'encre noire :

Le contenu de ce premier, c'est tout ce qui était sous le siège avant : quelques pièces de monnaie, une quittance de réparation de votre voiture datant de plusieurs mois, l'enveloppe d'un sucre d'orge à cinq cents, un petit calendrier donnant les équivalences des

dates normales et des fêtes hébraïques, et une bar-
rette de plastique.

— Nous avons déjà demandé à votre femme, dit
Lanigan avec un sourire. Voyons le second sac. Celui
du contenu de la petite boîtes à ordures sous le tableau de bord.

Le rabbin jeta un regard sur plusieurs feuilles de
cellulose froissées, maculées de rouge à lèvres, un
bâton de glace Esquimau, un paquet de cigarettes
vide.

— Il faudrait comparer avec le rouge à lèvres de
ma femme, car...

— C'est déjà fait, et c'est le sien.

Le troisième sac était celui du compartiment des
gants : des cartes routières, un crayon, un crayon à
bille, un bâton de rouge à lèvres.

— Tout cela me semble normal, dit le rabbin. Je me
rappelle même le rouge à lèvres : en voyant l'étui,
j'ai dit à ma femme que si toutes ces pierreries étaient
vraies, elles vaudraient la rançon d'un roi. Elle a dû
le payer un dollar.

— Ils en vendent des milliers et des milliers.

— Oui, mais ce serait une coïncidence si ce n'était
pas le sien.

— Les coïncidences se produisent, monsieur le rabbin. Cette jeune fille avait le même étui dans son sac.
Voyez-vous, c'est une marque très populaire, et la teinte
est aussi très répandue pour les blondes.

— Elle était donc blonde ?

— Oui. Il n'y a pas d'empruntes digitales.

— La dernière fois que je l'ai touché, je me suis
amusé à faire sortir le bâton de rouge. Ensuite, j'ai
essuyé le tout, naturellement.

— Le dernier sac est celui des cendriers. A l'avant, dix bouts de cigarettes tachés de rouge, tous de la même marque, celles que fume votre femme puisque vous ne fumez pas...

— Et je ne mets pas de rouge.

— A l'arrière, un seul bout de cigarette, taché de rouge, lui aussi... Nous allons être obligés de garder tout cela pendant quelque temps.

— Autant que vous le voudrez. Comment l'enquête marche-t-elle ?

— Elle avance. Le médecin légiste n'a trouvé aucun symtôme de viol, mais il a fait une curieuse découverte : elle était enceinte.

— Elle était peut-être mariée ?

— Ses papiers n'en font pas mention, et ils sont récents. Mais, dans son sac, celui qui traînait dans votre voiture, il y avait une alliance. Mme Serafino affirme qu'elle était célibataire ; cela ne veut rien dire : avouer qu'elle était mariée aurait pu lui coûter sa place.

— Avez-vous une idée de la manière dont ce sac a abouti dans ma voiture ?

— Le meurtrier a pu l'y placer pour détourner les soupçons sur vous. Quelqu'un vous en veut-il spécialement ?

Le rabbin hésita un instant :

— Il y a dans ma congrégation des gens qui ne m'aiment pas, mais de là à vouloir me mêler à un crime, c'est impossible.

— Dans ce cas, la fille a dû rester un moment dans votre voiture. Puis, pour une raison ou une autre, le meurtrier a jugé bon de la transporter ailleurs, peut-

être en voyant la lumière dans votre bureau. Mais il
y a une autre hypothèse...

Lanigan s'interrompit avec un sourire de coin :

— Je dois l'envisager parce qu'elle est conforme
aux faits que nous connaissons pour l'instant.

— Je crois la deviner, commissaire. J'aurais profité
de la venue de Stanley pour me rendre à un rendez-
vous avec cette fille : nous avions une liaison et nous
nous rencontrions dans mon bureau. Je l'aurais atten-
due en vain, mais elle serait arrivée au moment où,
ayant claqué la porte derrière moi, je me retrouvais
dehors sans mes clés. Nous serions montés dans ma
voiture et elle m'aurait dit qu'elle était enceinte, que
je devais me séparer de ma femme et l'épouser pour
que son enfant ait un père. Alors, je l'aurais étranglée,
puis transportée sur la pelouse derrière le petit mur.
Et je serais revenu chez moi l'âme tranquille.

— C'est idiot, monsieur le rabbin, mais cela con-
corde parfaitement au point de vue lieu et temps. Si
je devais parier, je dirais qu'il y a une chance sur un
million pour que tout se soit passé comme vous venez
de le dire. Néanmoins, si vous aviez l'intention d'entre-
prendre ces jours-ci un très long voyage, ne le faites
pas, croyez-moi.

Il se dirigea vers la porte, l'ouvrit, puis s'arrêta net :

— A propos, figurez-vous que l'agent Norman ne
se souvient absolument pas de vous avoir rencontré la
nuit du crime. Ni vous ni personne d'autre.

L'expression de stupeur du rabbin était telle qu'il
ne put s'empêcher de rire une fois dans la rue.

CHAPITRE XV

La photo d'Elspeth Bleech parut dans les journaux du samedi, et à dix-huit heures, le commissaire Lanigan commençait à y voir clair, mais sans éprouver aucune surprise. La jeune fille, sortie au début de l'après-midi, était restée dehors toute la journée. Le premier coup de téléphone vint d'un docteur de Lynn : il croyait avoir vu la jeune femme en question jeudi après-midi, mais elle avait donné comme nom Elisabeth Brown ; l'adresse était la sienne, elle avait toutefois inverti le numéro de la rue ; quant au numéro de téléphone, elle avait indiqué celui de Mme Hoskins.

Il l'avait trouvée en excellente santé et enceinte d'environ deux mois. Sa nervosité n'avait pas été plus grande que celle de la plupart de ses clientes dans un cas pareil : beaucoup, même mariées, semblent fort ennuyées. Elle n'avait rien dit au sujet de ses projets pour le reste de la journée. Mais peut-être avait-elle parlé à sa secrétaire ?

La secrétaire, arrivant à l'appareil, se rappela qu'Elspeth avait demandé à téléphoner, mais s'était refusée à le faire à partir du bureau. Elle aussi était certaine de reconnaître la victime.

Puis d'autres coups de téléphone avaient afflué, certains de Lynn, de magasins où elle pouvait avoir fait des achats, d'autres d'endroits fort improbables : à une station d'essence, un jeune homme affirmait l'avoir vue derrière une énorme moto noire. A deux cents kilomètres de là, le patron d'un manège jura qu'elle était venue se présenter à lui, à trois heures de l'après-midi, pour lui demander du travail.

Lanigan rentra chez lui à dix-neuf heures et, à sa grande surprise, put dîner en paix sans être dérangé. Mais à peine avait-il terminé que quelqu'un se présentait à sa porte d'entrée : c'était Mme Agnes Graham, propriétaire et directrice du restaurant « Surfside ».

C'était une femme distinguée d'une soixantaine d'années, avec des cheveux d'un blanc de neige magnifiquement coiffés. Sa dignité rappelait qu'elle était une des femmes d'affaires les plus importantes de la ville.

— J'ai téléphoné au commissariat et on m'a dit que vous étiez parti chez vous, commissaire, dit-elle sur un ton où l'on pouvait noter une certaine désapprobation.

— Entrez, chère madame. Puis-je vous offrir une tasse de café.

— Je viens pour affaires.

— Il n'y a pas de loi qui interdise de mélanger les deux. Est-ce une affaire qui vous intéresse ou qui me touche.

— Elle vous touche, commissaire. Cette fille dans les journaux ont publié le portait, elle a dîné dans mon restaurant jeudi soir.

— Vers quelle heure ?

— Entre sept heures et demie et huit heures : je venais de relever la caissière, Mary Trumbull, pour qu'elle puisse dîner. J'en suis absolument sûre, car cette jeune fille a attiré mon attention.

— Et pourquoi donc ?

— A cause de l'homme qui l'accompagnait : la quarantaine, très brun, un bel homme, ma foi. Lorsqu'ils ont eu fini de dîner, ils ont quitté le restaurant et sont montés dans une grande Lincoln bleue garée juste devant la porte.

— Pourquoi avez-vous remarqué cet homme ?

Elle eut un geste d'impatience :

— Parce que je le connais de vue. J'ai acheté ma voiture chez Becker, à l'agence Ford, et je me rappelle l'avoir aperçu assis derrière son bureau...

Dès son départ, Lanigan téléphona chez Becker. Ce dernier n'était pas à la maison et ce fut sa femme qui répondit. Après s'être présenté, le commissaire insista :

— Peut-être pourriez-vous m'aider, madame. Existe-t-il un employé de votre mari qui possède une Lincoln bleue ?

— Mon mari se sert d'une noire.

— Celle dont je parle est bleue.

— Ah ! C'est sans doute celle de son associé, Melvin Bronstein.

Le coup de téléphone suivant fut pour Jennings :

— Quelque chose de nouveau ?

— Oui, les Simpson, qui habitent en face des Serafino, ont vu une voiture stationner jeudi soir très tard vers minuit peut-être.

— Une Lincoln bleue.

— Comment le savez-vous ?

— Rendez-vous au commissariat, Eban. Nous avons du boulot.

Au commissariat, ils prirent une série de décisions :

— La première chose à faire, c'est de se procurer une photo de Melvin Bronstein. Ils en ont certainement une au *Lynn Examiner*, puisque sa situation à l'agence Ford fait de lui un personnage important. Procurez-vous une image qui montre bien ses traits, et faites-en tirer une demi-douzaine d'exemplaires.

— Est-ce pour les remettre aux journaux ?

— Surtout pas. Vous prendrez Smith et Henderson avec deux ou trois autres et parcourez les routes 14, 69 et 119. Vous vous arrêterez à chaque motel et vous ferez voir la photo à tout le personnel pour savoir s'il s'agit d'un client régulier. Consultez les registres, mais il ne s'est certainement pas inscrit sous son nom.

Jennings maugréa :

— Je ne comprends pas.

— Vraiment ? Et si vous étiez avec une fille et que vous vouliez coucher avec elle, où iriez-vous ?

— En plein air, derrière la grange de Chisholm.

— Allons donc ! Vous prendriez la route et vous arrêteriez dans un motel. Cette fille était enceinte. Il se peut qu'elle ait attrapé son gosse sur le siège arrière d'une voiture, mais aussi dans un motel pas trop éloigné d'ici.

CHAPITRE XVI

Le dimanche matin fut clair et ensoleillé ; dans un ciel sans nuages, une brise fraîche soufflait de la mer. C'était un temps rêvé pour le sport, et quand les membres du conseil d'administration se rassemblèrent, leur habillement ne laissait aucun doute sur le prochain lieu de rencontre de la plupart d'entre eux : le terrain de golf.

Jacob Wasserman les vit arriver par groupes de deux ou de trois, et il sut d'avance qu'il était battu. C'était une question de chiffres : les quarante-cinq membres étaient présents. Beaucoup l'évitaient tandis qu'un cercle chaleureux se formait autour d'Al Becker. Il les vit soudain tous tels qu'ils étaient : des hommes d'affaires et des professionnels mielleux, fiers d'avoir réussi, et qui considéraient leur adhésion à une communauté religieuse comme une obligation sociale. Ils allaient traiter le problème que posait leur rabbin comme celui d'un petit employé qui ne donnait pas satisfaction. Ils étaient impatients d'en finir et de profiter de leur dimanche. Jamais il n'avait regretté à ce point d'avoir fait rentrer tant de membres au conseil d'adminis-

tration, toujours pour la même raison : « Il versera
une grosse somme d'argent à la synagogue... »

Il lut l'ordre du jour, dont ils expédièrent rapidement les questions. Au dernier point, le renouvellement
du contrat du rabbin, il entendit quelques soupirs de
soulagement. Dès le début, il passa à l'attaque :

— Avant d'ouvrir cette discussion, je voudrais faire
remarquer que le rabbin Small est prêt à rester parmi
nous, bien qu'on lui ait offert un poste qui lui convien-
ne mieux. (Naturellement, il n'en savait rien.) Je l'ai
approché de plus près que quiconque parmi vous, ce
qui est normal, étant donné mon activité en tant que
président du comité des rites. Et je tiens à dire à quel
point je suis satisfait de la manière dont il accomplit
sa tâche.

— La plupart d'entre vous ne le voient qu'en public,
lors d'un service religieux ou dans une de nos réunions.
Mais son travail comporte un côté plus important, de
nature privée. Par exemple, il y a eu un mariage mix-
te : la fille n'était pas juive. Après de longues discussions avec les parents, il a réussi à amener cette
jeune fille à accepter le judaïsme, il l'a instruite dans
notre religion. De même, il s'occupe individuellement
de chacun de nos adolescents au moment de leur Bar
Mitzvat. Il est en rapport constant avec le directeur
de notre école religieuse. Je m'arrête, car sans cela
nous en aurions pour toute la matinée et vous ne
joueriez jamais au golf aujourd'hui.

Il y eut des rires d'approbation, et Wasserman
poursuivit sérieusement :

— La plupart d'entre vous ne connaissent rien de

ces activités, mais moi, je peux vous affirmer que le rabbin a fait davantage et mieux que je l'espérais quand je l'ai engagé.

Al Becker avait déjà levé la main pour prendre la parole ; penché en avant, il s'appuyait sur la table de ses deux poings fermés ; avant de commencer, il promena son regard sur l'assistance comme pour jauger chacun des membres présents :

— Il n'y a ici personne qui ait plus de respect que moi pour notre président, Jacob Wasserman. J'éprouve la plus grande estime pour lui en tant qu'homme et j'admire son intégrité et son intelligence. S'il me dit qu'un homme est valable, je le crois. Je crois donc que le rabbin est un homme parfait...

Sa mâchoire pointa belliqueusement :

— Seulement, je pense que cet homme parfait ne convient pas au poste qu'il occupe parmi nous. Je sais qu'il est un érudit, un savant, mais nous n'avons pas besoin de ça. Nous faisons partie d'une communauté. Aux yeux de tous ceux qui ne sont pas juifs, nous constituons une organisation religieuse parmi les autres. Ce qu'il nous faut, c'est quelqu'un qui nous représente convenablement vis-à-vis d'eux, un homme capable de les impressionner en prenant la parole en public. Le directeur du lycée m'a confié son intention de charger le chef spirituel de notre communauté du discours de fin d'année. Franchement, mes amis, vous imaginez-vous notre rabbin actuel sur la scène, avec ses pantalons en tire-bouchon et son veston froissé, sans compter ses cheveux en désordre et sa cravate de travers ? Et pensez dès maintenant à sa réponse, entremêlée comme d'habitude de petites histoire tirées du Talmud et de raisonnements de coupeurs de cheveux en quatre. Moi, je sais que j'aurais honte.

Abe Reich leva la main :

— En ce qui me concerne, je sais ce que Jacob Wasserman veut dire quand il parle des activités du rabbin que peu d'entre vous connaissent. J'ai eu le privilège d'assister à l'une d'elles : c'était une affaire importante pour moi, et laissez-moi vous dire que j'ai été rempli d'admiration. Ce n'est pas un déclamateur de tribune, soit, mais quand il s'adresse à nous, ce qu'il dit est sensé et me touche profondément. Quand il parle, tout le monde sent qu'il est sincère, et c'est plus qu'on ne peut en dire de beaucoup de rabbins célèbres que vous avez peut-être entendus et admirés.

Le Dr Pearlstein se leva pour appuyer le point de vue d'Al Becker, son ami, mais son ton sentencieux indisposa plusieurs membres qui commencèrent à l'interrompre. Wasserman dut frapper plusieurs fois sur son pupitre pour rétablir l'ordre. L'un de ceux qui n'avaient jamais assisté à une réunion prit alors la parole :

— Ecoutez-moi bien, tous. A quoi rime cette discussion ? Quand il s'agit d'un projet ou d'une idée, plus on compare les points de vue, et mieux cela vaut. Mais ce n'est pas le cas pour juger cet homme : on ne peut alors que s'affronter. Or, nous connaissons tous le rabbin. Passons immédiatement au vote sans discuter plus longuement...

— Une minute... Une minute s'il vous plaît !

Ce rugissement, tous le monde le reconnut pour être celui d'Abe Casson, un vétéran des luttes politiques.

— Avant toute chose, je voudrais dire un mot de la situation en général.

Il avait quitté son siège pour se placer devant Wasserman, en face d'eux tous :

— Je ne vous parlerai pas du rabbin, mais puisque mon bon ami Al Becker a évoqué les « public relations » de notre communauté, pensons-y un peu. Comme vous le savez, quand un prêtre catholique arrive dans une paroisse, c'est que son évêque l'y a nommé, et il n'en bougera que sur l'ordre de cet évêque. Peu importe qu'un de ses fidèles lui fasse grise mine : ceux qui n'aiment pas leur curé n'ont qu'à s'établir ailleurs. Et chez les protestants, bien que ce soit un peu différent, un pasteur est presque inamovible, à moins qu'il ait vraiment commis une faute grave contre la religions ou contre les mœurs.

Sa voix baissa jusqu'à devenir un murmure presque confidentiel :

— Depuis près de dix ans, je suis président du comité républicain, et je crois pouvoir dire que j'ai une certaine expérience de la manière dont nous jugent nos concitoyens non juifs. Ils ne comprennent rien à la façon dont nous engageons un rabbin ou nous séparons de lui. Ils ne comprennent pas pourquoi, vingt minutes après son installation dans une ville, il compte déjà des partisans et des adversaires. Ils ne comprennent pas que certains Juifs lui fassent la guerre parce sa femme porte un type de chapeau qui ne leur plaît pas. Et chez nous, cela arrive tout le temps. Aussi, quand nous renvoyons un rabbin, la première idée qui leur vient est que cette mesure est motivée par un fait d'une extrême gravité. Dans le cas d'aujourd'hui,

que vont-ils penser ? Réfléchissons-y ensemble. Il y
a quelques jours, on a trouvé sur notre pelouse une
jeune fille assassinée. Au moment du crime, le rabbin
se trouvait dans son bureau, seul. Sa voiture était au
parc de la synagogue, et on y a découvert le sac de la
victime. Vous et moi savons bien que le rabbin ne peut
pas être coupable, et la police le sait également...

— Et pourquoi ne serait-il pas coupable ?

Il y eut un silence de mort à la suite de cette interruption qui répondait aux préoccupations inconscientes
et même conscientes, de beaucoup d'entre eux. Casson
leva la main :

— Je ne veux pas savoir qui m'a interrompu : il doit
déjà avoir honte de lui-même. Personne ici ne peut
croire vraiment que notre rabbin ait commis cet acte
horrible. En tant qu'agent électoral de l'avocat général
du district, je sais assez bien ce que pense la police
et où elle en est. Notre rabbin est au-dessus de tout
soupçon, mais il n'en est pas moins vrai que, s'il
n'était pas rabbin, il serait le suspect n° 1.

Il leva la main et commença à compter sur ses
doigts :

— Premièrement : on a trouvé le sac dans sa voiture. Deuxièmement : il était sur place au moment du
crime. Troisièmement : nous n'avons que sa parole
pour croire qu'il n'a pas quitté son bureau. Quatriè-
mement : il n'y a pas d'autre suspect. Et deux jours
après le drame, vous voulez le foutre à la porte ? C'est
cela votre souci des « public relations », Al ? Que vont
penser vos bons amis chrétiens ? Qu'allez-vous leur
dire, surtout ? « Oh ! nous ne l'avons pas renvoyé

parce qu'il a tué la jeune fille. Nous ne voulons plus de lui parce qu'il a les pantalons en tire-bouchon... »

Al Becker se leva. Il n'avait plus l'air si sûr de lui :

— Personnellement, je n'ai rien contre le rabbin. Je veux que tout le monde le sache. Ce que j'ai dit de lui, c'était pour le bien du temple. Si nous séparer de lui aujourd'hui peut faire supposer qu'il est coupable d'un crime, alors, non. Mais je ne peux pas croire que la police le mêle à cette affaire. Et si nous ne prenons pas de décision aujourd'hui, nous l'aurons encore pendant une année.

Casson secoua la tête :

— Encore une fois, je ne m'occupe pas du rabbin, Je m'occupe de la réaction des non-Juifs à l'ensemble de notre congrégation. Vous ne pourrez pas empêcher certains de dire que nous l'avons laissé tomber parce que nous l'avons soupçonné du crime. Et ils ajouteront que si nous pouvons soupçonner de la sorte un membre du rabbinat, c'est que le rabbinat tout entier ne vaut pas grand-chose. Et quant à ceux qui trouveront cette accusation absurde, ils nous attaqueront d'autant plus : « Voilà bien les Juifs, diront-ils. Ils n'ont aucune confiance les uns dans les autres et se débarrassent de leur chef spirituel sur un simple soupçon. Or, dans ce pays, on considère qu'un homme est innocent jusqu'à ce qu'on ait prouvé sa culpabilité. Est-ce que vous me comprenez, Al ? C'est à nous tous que je pense.

L'un des amis de Becker se leva pour courir à son secours :

— Je suis de l'avis d'Al Casson tout en demeurant de celui de Becker. Mais pourquoi prendre une décision aujourd'hui ? Nous devons nous rencontrer une dernière fois dimanche prochain. La police va vite de nos jours, et l'affaire sera alors éclaircie. Et en mettant les choses au pire, nous pourrions nous réunir une fois de plus.

Abe Casson avait l'air très sombre :

— Si les chose vont vraiment mal, vous n'aurez pas l'occasion d'envisager une séance supplémentaire, croyez-moi.

CHAPITRE XVII

Wasserman avait été si certain de la défaite qu'il n'arrivait pas à dissimuler son soulagement :

— Croyez-moi, monsieur le rabbin. L'avenir se présente sous des couleurs bien plus favorables. Personne ne sait ce qui se passera dans une semaine. Mais une chose est sûre : si la police ne trouve pas immédiatement le coupable, on ne pourra plus ajourner la question, et on renouvellera automatiquement le contrat. Même Becker comprendra qu'on ne peut pas vous faire attendre de la sorte. Et si la police découvre le meurtrier, ne croyez pas que Becker pourra rallier une fois de plus tous ces indifférents. J'ai tant de fois tenté de les faire venir aux réunions, et toujours sans succès. Avec les membres habituels, nous avons gagné d'avance.

Le rabbin se sentit troublé :

— J'ai l'impression que je m'impose à tous. Peut-être devrais-je démissionner purement et simplement.

— Mon cher rabbin, mon cher rabbin, nous sommes plus de trois cents dans notre communauté, et si tous votaient, vous en auriez deux cents pour vous. Ce conseil d'administration ne représente rien : c'est moi

qui l'ai formé au début, et le resté des membres est
venu par cooptation, simplement parce qu'ils sont
plus riches que les autres.

Le rabbin se mit à rire :

— Un de nos sujets préférés de discussion au séminaire était de nous demander ce qu'un rabbin pouvait
faire pour être sûr de son emploi : le meilleur moyen,
disions-nous, était d'épouser une femme riche. La
congrégation sait que vous n'avez aucun besoin de
plaire, ce qui vous assure un formidable avantage
psychologique, et la fortune de votre femme lui con-
fère un rang des plus élevés dans la communauté. Second moyen : être l'auteur d'un livre à succès. Votre
prestige rejaillit sur tous. Troisième moyen : s'intéresser à la politique locale de telle sorte que les chrétiens
parlent de vous avec intérêt et vous considèrent comme
un homme fort : dès lors les Juifs ne pensent plus vous
mettre à la porte. Et voici que j'en découvre un
quatrième : devenir le suspect principal d'un assassinat.

Mais le rabbin n'avait pas le cœur à plaisanter. Tandis que Miriam accomplissait toutes les petites formalités qui succédaient au déjeuner dominical, la pose
d'une coupe de fruits sur la table, un coup de chiffon
un peu partout, la mise en ordre des coussins du divan
et des fauteuils, il demeurait les yeux vagues, perdu
dans sa méditation :

— Attendons-nous quelqu'un ? demanda-t-il enfin.

— Personne en particulier, mais le dimanche après-
midi, il y a toujours du monde qui vient nous voir,
surtout quand il fait si beau. Ne crois-tu pas que tu
devrais mettre ton veston ?

— J'en ai assez de ma congrégation et de mes obligations pastorales. Depuis presque un an que nous sommes à Barnard's Crossing, nous n'avons jamais visité la ville. Mets donc une paire de souliers confortables. Nous allons prendre l'autobus et nous promener dans la Vieille Ville. Sait-tu que c'est un endroit fascinant et chargé d'histoire ? Barnard's Crossing a été fondé par un noyau de rebelles, de marins et de pêcheurs qui se sont ainsi soustraits à la théocratie des Puritains. Pendant longtemps, ils n'ont même pas pensé y construire une église. Avec cet esprit d'indépendance, ils ont naturellement pris une part active à la Révolution et, encore aujourd'hui, ils sont demeurés assez particularistes. Pourquoi ne pas y faire un tour ?

Ils descendirent de l'autobus à la lisière de la Vieille Ville. A l'intérieur de la mairie, ils admirèrent les vieux drapeaux pieusement préservés sous verre. Puis ils se joignirent à un groupe de touristes pour écouter les explications du guide. De nouveau seuls, ils remontèrent la rue principale, léchant les vitrines des antiquaires et des boutiques de souvenirs, s'arrêtant pour contempler les cordages, les compas, les ancres, les garnitures en cuivre exposées dans un local de fournitures maritimes. Au-dessus du port, ils découvrirent un petit parc et s'assirent sans parler, les yeux fixés sur la mer que sillonnaient voiliers et canots automobiles comme autant d'insectes aquatiques.

Finalement, ils se remirent en route pour se rendre au commissariat, et se perdirent. Pendant près d'une heure, ils se débattirent dans un dédale d'allées en cul-de-sac aux trottoirs si étroits qu'ils ne pouvaient avancer de front. Ils n'en sortirent que pour se trouver dans un quartier de villas en brique peinte entourées de jardins délimités par des palissades et qui donnaient de l'autre côté de la mer. Ils apercevaient parfois quelqu'un couché sur un embarcadère, au soleil, en costume de bain, et ils détournaient aussitôt les yeux, ressentant plus que jamais leur intrusion.

Le soleil brûlait, et ils commençaient à être fatigués. Ils ne rencontraient personne à qui ils auraient pu demander leur route, et les porches des villas, toujours déserts, étaient séparés de la rue par l'étendue d'un petit parc et l'inévitable palissade. Tout semblait être calculé pour tenir l'étranger à distance, non par morgue, mais comme si chaque propriétaire se contentait de cultiver son jardin.

Puis brusquement l'avenue se remit à côtoyer le rivage et ils aperçurent à cent mètres de là le début de la rue principale. Ils soupiraient d'aise quand quelqu'un les héla : assis devant sa maison, le commissaire Lanigan leur faisait signe :

— Entrez, venez vous asseoir un instant.

Ils ne se firent pas prier deux fois.

— Je pensais que vous étiez en plein travail, commissaire, dit le rabbin en riant. Ou bien avez-vous résolu le problème ?

Sous le porche, les fauteuils d'osier étaient profonds et confortables, et Mme Lanigan, une femme élancée et aux cheveux gris, en pantalon et en sweater, apparut pour se joindre à eux.

— J'espère que votre religion ne vous interdit pas de boire un Tom Collins (1), monsieur le rabbin ?

— Nous ne sommes pas prohibitionnistes, loin de là. Mais je préférerais un whisky. J'aperçois un flacon

(1) Mélange de gin et de jus de citron, avec du sucre, de la glace et de l'eau de Seltz.

de William Lawson's, il me semble ? Et dites-moi
comment va l'enquête ?

— Elle progresse. Et votre congrégation ?

— Elle progresse également, dit le rabbin avec un
sourire.

— On m'a dit que vous aviez des ennuis avec elle.

Comme le rabbin le regardait sans mot dire, Lanigan se mit à rire :

— Ecoutez-moi, monsieur le rabbin. Dans une petite
ville comme celle-ci, bien que nous n'ayons pas à pro-
prement parler de population criminelle, notre système se fonde sur le principe habituel : nous avons des
informateurs. Ce qui a lieu à la synagogue, je le sais
presque aussi bien que vous. A la réunion d'aujour-
d'hui ils étaient quarante. Lorsqu'ils sont rentrés chez
eux, ils en ont parlé à leur femme. Croyez-vous que
quatre-vingts personnes peuvent observer un secret ?
Chez nous autres catholiques, tout se passe autrement :
c'est le prêtre qui décide seul.

— Est-il vraiment meilleur que vous tous ? demanda
le rabbin.

— Il y a à la base un processus de sélection qui fait
disparaître la plupart des incompétents. Naturellement,
nous avons des idiots parmi nos prêtres, mais ce
n'est pas là la question : si vous désirez une certaine
discipline, il faut un chef dont l'autorité n'est pas
combattue à chaque instant.

— Je pense que c'est la grande différence entre vous
et nous, dit le rabbin. Nous encourageons la discussion de tout.

— Même des articles de foi ?

— Nous exigeons un minimum de foi, l'existence
d'un Dieu tout-puissant, omniscient et éternel. Et en-

core, il n'est pas interdit de mettre son existence en
doute. Nous reconnaissons seulement que cela ne mène
à rien. Lorsque j'ai pris ma S'michah, une sorte d'or-
dination, on ne m'a pas interrogé sur mes croyances et
je n'ai prêté aucun serment particulier.

— Mais alors, comment vos ouailles vous recon-
naissent-elles pour tel ?

Le rabbin se mit à rire :

— Je n'ai ni ouailles ni troupeau ; ma communauté
ne m'a pas été confiée et je ne suis pas responsable
d'elle devant Dieu. En fait, je n'ai ni responsabilité
ni privilège que ne possèdent tous les membres mâles
de ma congrégation dès qu'ils ont plus de treize ans.
Ou suppose seulement que j'ai une connaissance plus
approfondie de la Loi et de notre tradition.

— Mais vous conduisez leurs prières...

Il s'interrompit en voyant son hôte secouer la tête.

— N'importe quel adulte mâle peut le faire. A notre
service quotidien, nous offrons cet honneur à un étranger en visite, à quiconque n'assiste pas aux offices
de façon courante.

— Mais vous les bénissez, vous visitez les malades,
vous les mariez et vous célébrez les funérailles.

— Je les marie parce que les autorités civiles m'en
donnent le pouvoir. Je visite les malades, car c'est une
bénédiction qui est impartie à tous, mais aussi à la
suite de l'exemple que donnent vos prêtres et vos pasteurs. Et quant à la bénédiction donnée à tous les
membres de la congrégation, elle est traditionnellement réservée aux descendants d'Aaron, et elle l'est
encore chez les Juifs orthodoxes. C'est une usurpation
de la part du rabbin.

Lanigan réfléchit longtemps :

— Mais comment faites-vous alors pour maintenir votre congrégation dans le droit chemin ?

— Chacun est responsable de lui-même, chacun est libre.

— Chez nous aussi.

— Pas de la même manière. Vous avez à côté de vous quelqu'un qui peut vous soutenir si vous faites un faux pas. Un prêtre vous entend en confession, vous pardonne. Vous avez une hiérarchie de saints qui intercèdent pour les pécheurs. Vous avez même un Ciel et un Enfer qui redressent définitivement les torts. Notre peuple n'a qu'une possibilité, celle de faire le bien sur cette terre et comme nous n'avons personne qui nous y aide ou qui intercède pour nous, nous devons nous débrouiller seuls.

— Vous ne croyez pas au Ciel ni à l'Enfer ?

— Pas réellement. Naturellement, nos croyances ont subi l'influence des peuples parmi lesquels nous vivons. Au cours de notre histoire, le concept d'une survie possible a fait son apparition, mais de façon très particulière : c'est une survie dans nos enfants, dans l'influence qui demeure après notre mort, dans le souvenir que les gens gardent de nous.

Mme Lanigan ne put s'empêcher d'intervenir :

— Ainsi, si quelqu'un fait le mal et meurt après avoir vécu riche, heureux, prospère, il s'en sort parfaitement.

Le rabbin la regarda longuement en se demandant si quelque expérience personnelle ne lui inspirait pas cette question.

— Un organisme pensant comme celui de l'homme peut-il vraiment « s'en sortir » sans laisser de traces ? C'est un problème que toutes les religions s'efforcent de résoudre : pour celles de l'Orient, la réponse est la réincarnation ; pour vous, le Ciel et l'Enfer.

Il sembla hésiter un instant :

— Les deux solutions sont bonnes pour ceux qui y croient. Seulement nous ne pouvons pas y croire. Le Livre de Job, qui fait partie de la Bible, nous a fourni la réponse une fois pour toutes. Job souffre sans l'avoir mérité, et il n'est nulle part question d'une compensation après sa mort. Les souffrances de l'homme vertueux constituent l'une des rançons de la vie. Le feu brûle le bon aussi douloureusement que le méchant.

— Alors, pourquoi être bon ? demanda Mme Lanigan.

— Parce que la vertu comporte sa récompense et le mal son châtiment. Parce que le mal est dans son essence petit, mesquin, bas, dépravé, qu'il représente du temps mal employé, et donc, une perte irréparable dans une existence limitée.

Miriam toussota :

— Nous devons rentrer chez nous, David.

Il consulta sa montre :

— Je vous demande pardon de m'être laissé entraîner sur de tels sujets. Ce doit être l'effet du Tom Collins...

— Au contraire, monsieur le rabbin, je suis heureux que vous nous ayez parlé de la sorte. Je me suis toujours intéressé aux questions religieuses, mais il est difficile d'en discuter avec quelqu'un.

— Peut-être la plupart des gens ne s'y intéressent-ils plus, commissaire.

— J'ai passé un après-midi fort agréable, et j'espère que cela pourra se renouveler...

La sonnerie du téléphone l'interrompit. Mme Lanigan se précipita à l'intérieur et revint aussitôt :

— C'est Eban Jennings.

Le commissaire s'attarda encore pour leur expliquer quelle était la voie la plus courte vers le commissariat afin d'y reprendre leur voiture. En se retrouvant dans la rue, le rabbin se sentit vaguement troublé.

CHAPITRE XVIII

Melvin Bronstein fut arrêté le lendemain matin.

Un peu après sept heures, alors que les Bronstein prenaient leur petit déjeuner, Eban Jennings et un inspecteur, tous deux en civil, se présentèrent à sa porte. Le lieutenant montra sa plaque :

— Je suis le lieutenant Eban Jennings, de la police de Barnard's Crossing, et j'ai un mandat d'amener à votre nom. Nous désirons vous interroger au sujet du meurtre d'Elspeth Bleech.

— Suis-je accusé de ce meurtre ?

— J'ai simplement l'ordre de vous amener au commissariat en vue d'y être interrogé.

De la salle à manger, Mme Bronstein éleva la voix :

— Qui est-ce, Mel ?

Après un instant d'hésitation, il fit signe aux deux policiers de l'accompagner. Surprise, Mme Bronstein les vit entrer tous les trois :

— Ces deux messieurs sont de la police. Je dois les suivre au commissariat pour donner quelques renseignements...

Il avala sa salive avant de poursuivre :

— C'est au sujet de cette pauvre petite jeune fille qu'on a trouvée près de la synagogue.

Un flot de sang empourpra les joues pâles de sa femme, mais elle ne perdit rien de son sang-froid :

— Sais-tu quelque chose sur sa mort, Mel ?

— Sur sa mort, non. Mais j'ai rencontré cette jeune fille et ces messieurs pensent que je peux les aider dans leur enquête.

— Seras-tu de retour pour déjeuner ?

Bronstein jeta un coup d'œil à Jennings qui s'éclaircit la gorge pour répondre :

— Je ne compterais pas tout à fait là-dessus, madame, si j'étais vous.

Mme Bronstein s'appuya des deux paumes contre la table et se retrouva à une vingtaine de centimètres en arrière. Alors seulement les deux policiers se rendirent compte qu'elle était assise dans un fauteuil roulant.

— Naturellement, Mel, si tu peux aider ces messieurs dans cette terrible affaire, il faut que tu y ailles tout de suite. Je vais prévenir Al Becker.

Il eut un geste de tête :

— Désires-tu rester debout ou dois-je te remettre au lit ?

— Plutôt au lit, mon chéri.

Il se pencha vers elle et la souleva dans ses bras. Pendant un instant, ils demeurèrent ainsi immobiles tandis qu'elle plongeait son regard dans le sien.

— Tout ira bien, ma chérie, murmura-t-il.

— J'en suis sûre, Mel...

La nouvelle se répandit à la vitesse d'un feu de brousse. Le rabbin venait de rentrer après une matinée de travail à la synagogue lorsque Ben Schwarz l'appela au téléphone.

— Est-ce certain ? demanda le rabbin.

— Absolument. Vous l'entendrez sans doute aux prochaines informations de la radio. Tout ce qu'on sait, c'est qu'ils l'ont emmené pour l'interroger...

Il semblait hésiter avant de poursuivre :

— Entre nous, monsieur le rabbin, il ne s'est jamais inscrit dans notre communauté religieuse, il n'est pas des nôtres...

Le rabbin rapporta cette conversation à sa femme :

— D'après Schwarz, je n'ai pas à m'occuper de Bronstein puisqu'il n'est pas membre de la congrégation. Mais de toute façon, c'est mon devoir de le faire. Peut-être pourrais-je commencer par parler à sa femme ?

— Et si tu téléphonais au commissaire Lanigan ?

— Que puis-je lui dire ? Je ne sais rien de ce qui s'est passé, et je ne connais même pas les Bronstein. Non, il est préférable que je m'adresse d'abord à elle, et je vais le faire immédiatement.

Une voix féminine répondit que Mme Bronstein ne pouvait venir à l'appareil, mais qu'elle était très touchée de cet appel et serait chez elle tout l'après-midi.

— Dites-lui que je passerai à trois heures.

En se retournant, il aperçut Lanigan, que Miriam venait d'introduire.

— Je passais devant votre porte, monsieur le rabbin. Nous avons quelque chose de précis désormais. Vous le savez déjà sans doute ?

— Oui, mais l'idée que Bronstein soit coupable me semble fantastique.

— Le connaissez-vous ?

— Pas particulièrement.

— Alors, avant que vous disiez quelque chose de plus, apprenez que Mel Bronstein a passé la soirée du crime avec cette jeune fille. Il l'a avoué : il a dîné avec elle, il est resté ensuite en sa compagnie. Et il a admis tout cela non pas à la suite d'un interrogatoire, mais spontanément, dès son arrivée au poste. Il a même refusé de faire appel à son avocat. Il l'a aperçue au restaurant « Surfside », pour la première fois, prétend-il. Après dîner, ils sont allés ensemble à Boston, pour voir un film, puis ils ont soupé un peu. Enfin il l'a raccompagnée chez elle. Tout cela semble très clair, mais elle a été assassinée il y a quatre jours, et depuis *il s'est tu.*

— Parce qu'il est marié, commissaire. Il a eu peur du scandale. Certes, il devait aller à la police. Il a agi en lâche, en idiot, mais cela ne veut pas dire qu'il a tué.

— Très juste, mon cher rabbin, mais admettez que cela suffit pour que nous le questionnions. Et il y a un point que vous oubliez : Elspeth Bleech était enceinte, au grand étonnement de Mme Serafino qui ne l'avait jamais vue en compagnie d'un homme. Celia, son amie, nous a dit la même chose : la seule fois où Elspeth est sortie avec elle pour s'amuser, c'était au bal des Policiers et des Pompiers. Celia s'était imaginée qu'elle était fiancée au Canada, d'où elle recevait des lettres. Eh bien, nous avons procédé à des recherches et savez-vous ce que nous avons appris ? Bronstein s'est rendu plusieurs fois dans des motels sur les route 14 et 69, le plus souvent sous le nom de Brown, toujours avec quelqu'un qu'il a enregistré comme étant sa femme, et toujours le jeudi. Nous l'avons identifié sans dis-

cussion possible, par sa description, par son écriture,
par le numéro d'immatriculation de sa voiture. Et
certains tenanciers de motels ont bien voulu admettre
que cette femme blonde ressemblait plus ou moins à
la photo, que nous leur avons montrée, de la victime.

— Et que dit-il ?

— Il reconnaît qu'il est le client de ces motels, mais
il affirme qu'il s'y trouvait avec une autre femme,
dont il veut taire le nom.

— Si c'est vrai, cela ne peut que lui faire honneur.

— Je n'ai pas fini. Jeudi après-midi, la jeune fille
a rendu visite à un gynécologue. Elle portait, pour des
raisons assez évidentes, l'alliance que nous avons
trouvée dans son sac. Elle s'est fait confirmer de la
sorte qu'elle était enceinte. Et savez-vous le nom qu'elle
a donné ? Elisabeth Brown, tout comme Bronstein
dans les motels : Brown !

— C'est un nom aussi commun que Smith. Et il
y a un détail qui ne colle pas : pourquoi était-elle en
slip sous son manteau ? Elle a dû ressortir de chez
elle. Il l'y a donc laissée vivante, n'est-ce pas ?

— Attendez un peu. Il faut que vous connaissiez la
disposition des lieux chez les Serafino. Ce sont des
gens spéciaux, des tenanciers de clubs de nuit : ils
possèdent un local où les gens boivent et où Serafino
se met de temps à autre au piano pour accompagner
les chansons légères, souvent obscènes que chante sa
femme. Sur leur conduite chez eux, il n'y a rien à dire.
Ils ont deux jeunes enfants et la famille ne rate jamais
une messe le dimanche. Le jeudi soir, Mme Serafino
reste chez elle, mais de toute façon, ils ont besoin de
quelqu'un pour garder constamment les gosses. Toute
la famille dort au second étage. Au rez-de-chaussée,

attenant à la cusiine, il y a pour la domestique un petit
appartement complètement séparé du reste de la maison, avec une entrée privée. Vous me suivez, monsieur
le rabbin ?

— Parfaitement.

— Qui empêche notre ami Bronstein d'entrer avec
la jeune fille ? Ce n'est pas la première fois qu'elle se
déshabille devant lui, n'est-ce pas ?

— Alors, pourquoi serait-elle ressortie ?

Lanigan haussa les épaules :

— Là, nous sommes dans le domaine des conjec-
tures. Peut-être l'a-t-il étranglée dans sa chambre et
transportée ailleurs. Un voisin qui habite de l'autre
côté de la rue a aperçu la Lincoln bleue de Bronstein
devant la maison des Serafino. C'était un peu après
minuit. Une demi-heure après, la voiture était toujours
là.

— Les a-t-il vus sortir de la voiture ou y rentrer ?

— Non, malheureusement.

Le rabbin soupira :

— Evidemment, je ne connais rien aux affaires de
meurtre, mais en tant que talmudiste, je ne suis pas
complètement dépourvu d'esprit juridique et je trouve
que votre théorie fourmille de lacunes.

— Lesquelles donc ?

— S'il l'a tuée dans sa chambre, pourquoi lui a-t-il
passé un manteau et un imperméable ? Et pourquoi
l'a-t-il emmenée à la synagogue ? Et pourquoi a-t-il
mis le sac dans ma voiture ?

— Moi aussi, j'ai pensé à ces objections, et à beaucoup d'autres, mais j'ai assez d'éléments pour l'ap-
préhender et le garder à vue jusqu'à ce que nous ayons
vérifié tout le reste. C'est de la sorte que nous procé-

dons. Croyez-vous qu'une affaire nous arrive toute cuite ? Non, nous prenons un bout du fil et démêlons l'écheveau. Il se présente des objections, mais au fur et à mesure qu'on avance, on s'aperçoit qu'il existe une explication à chacune d'elles, et fort simple d'habitude.

— Et si les explications font défaut, vous relâchez l'homme au bout d'un certain temps, mais vous avez ruiné son existence.

— C'est malheureusement exact. C'est l'une des rançons de la vie dans une société organisée.

CHAPITRE XIX

Nathan Greenspan était le type même du juriste réfléchi et posé. Assis derrière son bureau, il nettoyait méthodiquement sa pipe avec un ustensile en forme de cuiller. Puis après avoir soufflé dans le tuyau, il commença à la remplir sans se hâter, tandis qu'Al Becker, son bout de cigare tenu à même le poing, marchait de long en large et exposait son point de vue. Il n'y avait qu'une chose à faire : l'avocat devait prendre le commissariat d'assaut et exiger qu'on relâche immédiatement son associé.

Nathan Greenspan se rejeta en arrière et, entre deux bouffées, répondit lentement :

— Je peux obtenir une ordonnance d'*habeas corpus*... à condition qu'il soit établi qu'on le détient injustement.

— Naturellement, son arrestation est injuste.

— Qu'en savez-vous ?

— Parce qu'il me l'a dit et parce que je le connais. Vous savez le type d'homme qu'est Mel Bronstein : a-t-il l'air d'un assassin ?

— Vous venez de me dire que la police ne l'a pas arrêté pour meurtre, mais pour l'interroger. Il possède

des renseignements utiles au bon déroulement de l'enquête, et il a admis qu'il était avec la victime la nuit
où elle a été tuée. C'est tout à fait logique que la
police lui pose quelques questions.

— En envoyant deux flics chez lui, pour l'arrêter ?

— S'il s'était présenté de lui-même, aussitôt, comme
il l'aurait dû...

— Soit, il aurait dû aller les trouver, mais vous
savez bien ce que cela signifiait. Il a pensé que son
escapade demeurerait ignorée. Il a eu tort, mais ce
n'est pas une raison pour que les flics viennent chez
lui et le déshonorent devant sa femme.

— C'est comme cela que les choses se passent habituellement. Et de toute façon, il n'y a plus à y revenir.

— Qu'avez-vous l'intention de faire ?

— Aller le voir, naturellement. Ils vont probablement le garder cette nuit, mais s'ils veulent prolonger
sa détention, il faudra qu'ils le fassent comparaître
devant un juge et qu'ils exposent leurs preuves. A mon
avis, ils ont assez d'éléments en main pour l'arrêter
définitivement s'ils le désirent. Le mieux que je puisse
alors faire, c'est d'aller trouver l'avocat général du
district et d'avoir chez lui tous les renseignements,
toutes les charges qui le concernent.

— Pourquoi ne les obligez-vous pas à le relâcher s'ils
ne peuvent pas établir sa culpabilité ?

Greenspan poussa un léger soupir. Il posa sa pipe
sur le cendrier et ôta ses lunettes :

— Ecoutez-moi bien, Al. On a assassiné une jeune
fille, et naturellement tout le monde veut qu'on découvre le meurtrier. Cela veut dire que tous les rouages
de la justice joueront en faveur de la police et non en
faveur du suspect. Imaginez que je recoure au maquis

de la procédure pour le faire rentrer chez lui, tout le monde — y compris la presse — me critiquera. Et cela ne servira pas la cause de Mel. Tandis que si nous montrons que nous sommes prêts à aider la justice, nous obtiendrons de l'avocat général toutes les faveurs qu'il pourra nous accorder.

— Et alors, que faut-il que je fasse, moi ?

— Absolument rien, Al. Rien, m'entendez-vous. Prenez patience, tout simplement.

La patience n'était pas le fort d'Al Becker. Si l'avocat général était tout-puissant, pourquoi ne pas faire pression sur lui par Abe Casson, qui l'avait fait élire à ce poste ?

— Que voulez-vous donc que je fasse, Al ? Je peux vous assurer qu'ils ont rassemblé pas mal de preuves contre Mel, et qu'ils en ont déjà assez pour le faire comparaître devant le tribunal.

— Mais il n'est pas coupable, Abe ? Il me l'a assuré, et je le connais.

Casson ne lui répondit même pas.

— Mais vous aussi, vous connaissez Mel Bronstein ? Il est aussi doux qu'une femme. Il est incapable de tuer. Tout cela est ridicule.

Les affaires de ce genre semblent toujours ridicules jusqu'à ce qu'elles soient terminées. Et alors, elles ne le sont plus.

Becker était de plus en plus amer :

— Evidemment, quand il y a une petite preuve qui manque, ils la fabriquent, et s'il y a une lacune, ils la comblent. Bon Dieu, Abe, vous savez bien comment cela se passe. Ils mettent tout le monde sur la trace ; ils ont un objectif et combinent tout pour y parvenir jusqu'à ce que le pauvre type ne sache plus où il en est. Et pendant ce temps-là, le véritable assassin est libre.

— Encore une fois, que puis-je faire, Al ?

— Vous êtes copain-copain avec l'avocat général, d'après ce que vous dites. Vous devriez être capable de lui ouvrir les yeux, afin qu'il continue à chercher ailleurs.

Abe Casson secoua la tête :

— C'est le commissaire Lanigan qui s'occupe de l'enquête, et non pas l'avocat général. Voulez-vous aider votre ami ? Allez voir le rabbin.

— Le rabbin ? Bon Dieu de bon Dieu, et pourquoi donc ? Pour qu'il récite des prières en faveur de Mel ?

— Vous avez une grande gueule, Al, mais c'est parfois la seule partie de votre tête qui fonctionne. Pour une raison quelconque, Hugh Lanigan a un très grand respect pour notre rabbin, et ils sont même des amis. L'autre jour, le rabbin et sa femme ont passé tout l'après-midi sous le porche des Lanigan, en train de bavarder et de boire tous les quatre, maris et femmes. Oui, comme je vous le dis !

— Le rabbin n'est jamais venu l'après-midi chez moi pour bavarder et pour boire.

— L'avez-vous invité ?

— Admettons que le commissaire soit son copain. Que peut-il faire pour moi ?

— Exactement ce que vous vouliez que je fasse auprès de mon copain l'avocat général.

— Et vous croyez qu'il s'en donnera la peine, sachant que c'est moi qui ai tout arrangé pour le foutre à la porte d'ici ?

— Pensez-vous qu'il vous en tiendra rancune dans

une affaire comme celle-ci ? Vous ne le connaissez pas,
Al. Mais si vous me demandez vraiment conseil, et si
vous voulez aider votre ami, je vous le répète : allez
voir le rabbin.

En l'apercevant, Miriam put difficilement dissimuler
sa froideur. Le rabbin le reçut poliment. Mais Al
Becker ne se laissa pas démonter par ce mur de glace.
Les yeux étincelants, il regarda le rabbin d'un air de
défi en affirmant :

— Monsieur le rabbin, Mel Bronstein n'a jamais été
capable de commettre un crime pareil, et il faut que
vous fassiez quelque chose pour lui.

— Tout le monde peut avoir commis ce crime, dit
le rabbin doucement.

— Je sais, je sais. Ce que je veux dire, c'est qu'il
est le dernier homme sur terre qui puisse assassiner
quelqu'un. C'est un homme doux et bon. Et il aime sa
femme. Ils n'ont pas d'enfants et ils vivent tous les
deux l'un pour l'autre.

— Savez-vous ce qu'on lui reproche ?

— Vous voulez dire qu'il court à droite et à gauche ?
Et puis quoi ? Depuis dix ans, sa femme se traîne
dans un fauteuil roulant avec une sclérose qui se géné-
ralise. Pendant dix ans, il n'a pu avoir avec elle aucun...
aucun rapport.

— Je ne le savais pas.

— Un homme en bonne santé a besoin d'une femme.
Naturellement, vous, vous êtes rabbin et...

— Les rabbins ne sont pas castrés, monsieur Becker.

— Je vous demande pardon. Alors vous me comprenez. Les filles avec qui Mel peut sortir ne comptent
pas pour lui plus que ça...

Il eut un claquement de doigts.

— Il couchait avec elles comme il se serait rendu dans une salle de culture physique, pour se dépenser un peu...

— Je ne suis pas sûr que l'analogie soit juste, mais cela importe peu. Que voulez-vous que je fasse ?

— Je ne sais pas. Vous êtes demeuré toute la soirée dans votre bureau. Vous pourriez peut-être dire que vous avez jeté un coup d'œil par la fenêtre, que vous avez vu une voiture sortir du parking et que ce n'était pas une Lincoln bleue...

— Me demandez-vous de faire un faux témoignage, monsieur Becker ?

— Encore une fois, pardonnez-moi. Je suis si bouleversé que je ne sais plus ce que je dis. Cette affaire me rend fou. Ce matin, j'ai raté une vente avec un client qui, depuis dix ans, m'achète chaque année une Continental. Nous nous étions mis d'accord samedi dernier et il devait venir à midi signer le contrat. A midi, personne. Je l'appelle et il me raconte qu'il veut réfléchir, qu'il prendra peut-être cette fois-ci une voiture plus petite. Et il n'a jamais travaillé aussi bien que cette année. Pendant quinze ans, Mel et moi avons lutté pour monter notre affaire, et voici qu'en une journée tout s'effondre.

Le rabbin avait écouté froidement :

— Est-ce votre affaire ou votre ami qui vous intéresse, monsieur Becker ?

— C'est le tout. Tout est mélangé dans mon esprit. Mel n'était pas seulement mon associé et mon ami, il était pour moi un plus jeune frère. Et quand on a lutté quinze ans pour bâtir quelque chose, ce quelque chose est plus qu'un gagne-pain. Oui, ça fait partie de moi. C'est ma vie. C'est pour moi ce que votre profession est pour vous. Vous comprenez, c'est mon univers qui n'est plus le même.

— Je vous comprends, monsieur Becker...

Le ton du rabbin s'était radouci.

— Et je désirerais vous aider. Mais vous n'êtes pas venu chez moi pour me demander d'apporter à votre ami une consolation spirituelle. Et le reste est impossible. Je crains que cette affaire n'ait troublé votre jugement, car vous comprendriez sans cela que même si je disais ce que vous m'avez suggéré de dire, la police ne me croirait pas.

— Je le sais bien, et c'est pour cela que je me désespère, monsieur le rabbin. Mais vous devez pouvoir faire quelque chose. Vous êtes son rabbin, n'est-ce pas ?

— J'ai cru comprendre qu'on m'a fort critiqué pour gaspiller mon temps dans des affaires qui ne relevaient pas essentiellement de la congrégation. Et je crois savoir que monsieur Bronstein n'en est pas membre.

Du coup, Becker explosa de rage :

— Et après ? Est-ce que cela signifie que vous ne pouvez pas ou ne devez pas l'aider ? Il est juif, n'est-ce pas ? Il est quand même membre de la communauté juive de Barnard's Crossing, et vous êtes le seul rabbin sur place. Vous pouvez au moins aller le voir, voyons ! Ou alors rendez visite à sa femme. Ils ne font pas partie de la congrégation, dites-vous. Mais moi, j'en fais partie. Aidez-moi.

— En fait, dit doucement le rabbin, j'ai déjà pris rendez-vous avec Mme Bronstein, et au moment où vous sonniez, je faisais une première démarche pour m'entretenir avec son mari.

Becker était loin d'être stupide et il parvint même à sourire :

— J'ai compris, monsieur le rabbin. Je méritais cette leçon. Qu'avez-vous l'intention de faire ?

— Le commissaire Lanigan a passé ici quelques minutes à l'heure du déjeuner. Il m'a parlé de l'affaire. Depuis, j'ai pensé qu'on peut interpréter autrement les éléments sur lesquels il se fonde pour accuser Bronstein. Mais je ne connais pas votre ami, pas plus que sa femme. Aussi ai-je pensé qu'il me fallait d'abord les voir, leur parler.

— Vous ne rencontrerez jamais de gens aussi merveilleux, monsieur le rabbin.

— Vous savez comment fonctionne un service d'Etat, monsieur Becker, et la police en est un : une fois qu'ils ont trouvé un suspect, ils concentrent leurs efforts sur lui. J'ai pensé que je pourrais convaincre le commissaire de poursuivre l'enquête dans une autre direction.

D'un seul coup, Becker fut transporté d'enthousiasme :

— C'est justement ce que je viens de dire. Mais oui, ce sont les mots mêmes que j'ai employés en parlant à Abe Casson. Vous n'avez qu'à lui demander. Eh bien, dès maintenant, je me sens mieux.

CHAPITRE XX

Quatre petites cellules aux barreaux de fer consti-
tuaient la prison du commissariat de Barnard's
Crossing. Chacune d'elles était meublée d'un châlit
en fer, d'un lavabo et d'un w.-c., le tout éclairé par une
ampoule engagée dans une douille en porcelaine
suspendue au plafond. Une veilleuse brûlait jour et
nuit dans le couloir qui menait de la salle de garde
à une fenêtre munie elle aussi de barreaux.

Hugh Lanigan indiqua au rabbin l'emplacement des
cellules mais le conduisit tout d'abord dans son
bureau :

— On ne peut pas dire que c'est vraiment une prison, mais heureusement nous n'avons pas besoin
d'autre chose. Je crois que c'est une des plus vieilles
du pays. Ce bâtiment est de l'époque coloniale et il
a même servi de mairie. Naturellement il a été trans-
formé et remis à neuf, mais les fondations et le gros
œuvre sont demeurés à peu près intacts. On a moder-
nisé les cellules en y mettant l'électricité, l'eau courante et les w.-c., mais en dehors de cela elles n'ont
pas changé depuis la Guerre civile.

— Où mangent donc vos prisonniers ?

Lanigan se mit à rire :

— Généralement nous ne parlons pas d'eux au plu-
riel, sauf peut-être le samedi soir quand nous y enfer-
mons quelques ivrognes le temps qu'ils cuvent leur
bière ou leur vin. Sans quoi, un des restaurants les
plus proches, « Barney Blake » habituellement, prépare
un plateau. Jadis, le commissaire complétait sa solde
grâce aux détenus ; la municipalité lui allouait une
certaine somme pour chaque nuit de prisonnier avec
un supplément pour chaque repas. Quand j'étais jeune
agent, notre chef nous faisait la guerre pour que nous
lui ramenions le plus d'ivrognes possibles : il suffisait
de trébucher dans la rue pour se retrouver derrière
cette grille. Puis la municipalité a augmenté le traite-
ment du commissaire et prévu un budget mensuel pour
l'entretien des prisonniers. Le nombre des détenus pour
ivresse est tombé presque à zéro.

— Et vos prisonniers demeurent enfermés dans ces
petites cages jusqu'à leur jugement ?

— Non. Si nous décidons d'inculper votre ami, il
comparaîtra demain devant un juge qui confirmera
ou non l'inculpation et l'enverra à la prison de Salem
ou de Lynn.

— Et vous avez l'intention de le faire ?

— Cel dépend de l'avocat général. Nous lui expo-
serons l'affaire telle que nous la voyons, et, après nous
avoir posé quelques questions, il prendra sa décision.
Peut-être voudra-t-il le garder à vue comme témoin
principal sans l'inculper immédiatement.

— Quand pourrai-je le voir ?

— Tout de suite, si vous le voulez. Vous pouvez
vous rendre dans sa cellule ou le faire venir dans mon
bureau.

— Je préférerais lui parler seul...

— Parfait, parfait, monsieur le rabbin. J'ordonne qu'on vous l'amène et je vous laisse seuls tous les deux...

Il se mit de nouveau à rire :

— J'espère que vous n'avez pas d'armes sur vous ? Pas de limes ni de lames de scies à métaux ?

Souriant, le rabbin tapota les poches de son veston. Lanigan se leva, ouvrit la porte qui donnait sur la salle de garde et demanda à l'un des policiers d'aller chercher le prisonnier. Puis, avec un signe de la main, il laissa son hôte seul dans le bureau. Un moment plus tard, Bronstein faisait son entrée.

Il paraissait beaucoup plus jeune que sa femme, mais le rabbin mit cette différence d'aspect sur le compte de la maladie et non de l'âge. Il semblait fort gêné :

— Je vous suis reconnaissant de votre visite, monsieur le rabbin, mais j'aurais préféré pouvoir vous rencontrer ailleurs.

— Naturellement.

— Voyez-vous, je suis heureux aujourd'hui que mes parents soient morts, heureux aussi de n'avoir pas d'enfants. Je serais incapable de les regarder en face, même si la police découvre le coupable et me relâche.

— Je vous comprends, mais songez qu'un tel malheur peut nous arriver à tous. Il n'y a que les morts qui en soient préservés.

— Tout cela est si sale...

— C'est le propre de toute infortune. Mais n'y pensez plus. Parlez-moi de cette jeune fille.

Bronstein ne répondit pas immédiatement. Il se leva de sa chaise et fit quelques pas de long en large

comme pour rassembler ses idées ou contrôler son
émotion. Puis, s'arrêtant net, il se mit à parler très
vite, comme si les mots débordaient soudain du fond
de lui-même :

— Je ne l'avais jamais vue auparavant. Je le jure
sur la tombe de ma mère. Oui, j'ai couru un peu
partout, je l'admets. Je suppose que bien des gens
m'accusent de ne pas aimer ma femme puisque je ne
lui suis pas fidèle. Peut-être eût-ce été différent si
nous avions des enfants ou si j'étais plus fort. Je suis
prêt à admettre tout ce que j'ai fait, que j'ai eu des
liaisons, mais sans qu'aucune ne me tienne à cœur
ni devienne quelque chose de sérieux. Et j'ai toujours
été franc : je n'ai jamais caché que j'étais marié. Je
n'ai jamais prétexté que j'étais incompris, malheureux avec ma femme, je ne leur ai jamais fait croire
que je pourrais un jour demander le divorce. J'ai
toujours joué cartes sur table. J'ai des besoins, mon
corps éprouve des besoins. Il y a des femmes qui sont
dans la même situation et qui usent du même remède.
Celle que j'ai emmenée parfois au motel n'était pas
cette jeune fille. C'est une femme mariée, abandonnée
par son mari et qui est en instance de divorce.

— Si vous donniez son nom à la police...

— Alors elle pourrait perdre son divorce, son mari
lui volerait peut-être ses enfants. Mais cela n'est pas
grave : si jamais l'affaire tourne mal, que je sois
traduit devant un tribunal, et que mon sort dépende
de cela, elle viendra d'elle-même dire la vérité.

— Vous la voyiez tous les jeudis ?

— Non, je suis resté seul les trois derniers jeudis.
Pour être franc, nos rencontres secrètes commen-

çaient à l'énerver. Elle s'imaginait que son mari avait
mis des détectives à ses trousses.

— Ainsi, cette jeune fille a été pour vous une rem-
plaçante.

— Je ne veux rien vous cacher, monsieur le rabbin.
Quand je l'ai abordée, mes intentions n'étaient pas
platoniques. Je l'ai aperçue au « Surfside », un restaurant. Si la police s'intéressait vraiment à tous les
aspects de cette affaire et ne s'acharnait pas seulement
sur moi, il lui suffirait d'enquêter au « Surfside », d'interroger les gens qui s'y trouvaient ce soir-là, les ser-
veuses, les clients, et il en est qui se souviendraient
que nous étions d'abord assis à des tables séparées,
puis que je me suis levé et que je me suis présenté
à elle. Tout le monde a pu voir que je la... « draguais »,
pour employer ce mot. Mais en dînant et bavardant,
j'ai senti que cette gosse était effrayée. Oui, elle avait
une peur bleue de quelque chose, et elle faisait des
efforts désespérés pour paraître gaie. Alors, j'ai eu
pitié d'elle. J'ai oublié que je cherchais seulement
une aventure, et j'ai même perdu toute envie de cette
fille. Je me suis dit qu'il fallait lui faire passer une
soirée agréable. Nous sommes partis pour Boston et
nous y avons vu un film.

Il s'interrompit, puis prit rapidement sa décision.
Se penchant en avant, il baissa la voix comme s'il
craignait d'être entendu :

— Je vais vous confier quelque chose que je n'ai
pas dit à la police. Cette chaîne d'argent qu'elle portait
et avec laquelle on l'a étranglée, mon Dieu... c'est moi
qui la lui ai offerte. Je l'ai achetée juste avant d'entrer
au ciné.

— Pourquoi ne l'avez-vous pas dit à la police ?

— Pourquoi leur dirais-je quelque chose qu'ils retourneront aussitôt contre moi ? La manière dont ils m'ont interrogé m'a convaincu qu'ils verraient dans ce simple cadeau la preuve d'une préméditation.

— Soit. Mais qu'avez-vous fait ensuite ?

— En sortant du ciné, nous sommes allés manger quelques crêpes et boire une tasse de café. Puis je l'ai reconduite chez elle, juste devant la maison où elle vivait. Nous sommes restés là un instant, sans nous cacher.

— Etes-vous entré à l'intérieur ?

— Naturellement non. Nous avons bavardé dans la voiture. Je n'ai même pas passé le bras autour de ses épaules. Enfin elle m'a remercié et est entrée chez elle.

— Aviez-vous pris rendez-vous pour vous revoir ?

Bronstein fit non de la tête :

— Nous avions passé une bonne soirée tous les deux. Elle avait l'air plus détendue qu'au moment du dîner. Mais franchement je n'avais aucune raison de répéter la chose.

— Vous êtes alors revenu directement chez vous ?

— Oui.

— Votre femme dormait-elle ?

— Je le pense. Il m'arrive de me dire qu'elle fait semblant de dormir quand je rentre tard. De toute façon elle était couchée et avait éteint la lumière.

Le rabbin eut un sourire :

— C'est bien ce qu'elle m'a dit.

Bronstein leva rapidement les yeux :

— Vous l'avez vue ? Comment est-elle ? Comment prend-elle tout cela ?

— Oui, je l'ai vue...

Il n'oublierait jamais cette femme pâle et mince, clouée à son fauteuil roulant, avec ses cheveux à peine grisonants rejetés en arrière au-dessus d'un front haut, ses traits réguliers et fin et des yeux gris, brillants et vifs.

— Je l'ai vue, et toute son attitude était empreinte de gaieté.

— De gaieté ?

— Sans doute faisait-elle un effort, mais j'ai eu le sentiment qu'elle était absolument certaine de votre innocence. Elle m'a dit que si vous aviez commis cet acte, elle l'aurait deviné rien qu'en vous regardant.

— Malheureusement, ce n'est pas là une preuve dont se contentera le tribunal. Mais il est vrai que nous sommes très proches l'un de l'autre. Dans la plupart des ménages, l'attention de la femme se porte principalement sur les enfants, et le mari ne vient qu'ensuite. Mais ma femme est tombée malade il y a dix ans, et cela nous a liés davantage encore. Nous lisons littéralement l'un dans l'autre... Je m'explique peut-être mal, monsieur le rabbin... Elle faisait donc semblant d'être endormie ?

Le rabbin acquiesça lentement de la tête :

— Elle m'a dit qu'elle vous attendait toujours, sauf le jeudi. Je croyais d'abord qu'elle faisait allusion à la fatigue, car des amies viennent jouer au bridge, ce soir-là, avec elle. Mais elle m'a détrompé. Non, elle sait que vous profitez de cette soirée pour sortir avec une femme quelconque, et elle ne veut pas vous embarrasser quand vous rentrez.

Melvin Bronstein se couvrit le visage de ses mains :
— Mon Dieu... bégaya-t-il.

Le rabbin le regarda avec pitié. Ce n'était guère le
moment de prêcher. Il ajouta doucement :

— Elle m'a dit que cela ne la blessait pas, qu'elle
comprenait...

— Elle a dit cela ? Elle a dit qu'elle comprenait ?

Le rabbin se sentit soudain mal à l'aise devant le
tour que prenait la conversation.

— Dites-moi, votre femme sort-elle de chez elle de
temps à autre ?

Le visage de Bronstein s'adoucit :

— Oui, quand il fait beau et qu'elle ressent l'envie
de faire un tour en auto. J'aime conduire et j'aime
l'avoir près de moi. Cela me rappelle le passé : elle
est assise à mon côté comme à l'époque où elle allait
bien. Il n'y a plus de fauteuil roulant pour me rappeler qu'elle est malade. Mais j'en ai pourtant un, pliable,
dans la malle arrière, et quand la nuit est chaude,
nous partons pour le bord de mer, et là je marche en
la poussant le long du boulevard.

— Comment entre-t-elle dans la voiture ?

— Je la prends dans mes bras et je la dépose sur
le siège avant.

Le rabbin se leva :

— Il y a deux ou trois points sur lesquels j'aimerais
attirer l'attention de la police. Ils pourront les vérifier
s'ils ne l'ont déjà fait.

A son tour, Bronstein se leva. Il hésita un instant
avant de tendre la main :

— Croyez-moi, monsieur le rabbin, vous m'avez fait
un grand bien en venant me voir.

— Comment vous traite-t-on ?

— Parfaitement. Après l'interrogatoire, ils ont laissé

la porte de ma cellule ouverte, si bien que je peux aller et venir dans le couloir. Des policiers sont venus bavarder avec moi, et ils m'ont donné des revues à lire. Si j'osais...

— Dites.

— Pourriez-vous téléphoner à ma femme que je vais bien ? Je ne veux pas qu'elle se fasse du mauvais sang...

Le rabbin sourit :

— Je me mettrai en rapport avec elle, monsieur Bronstein.

CHAPITRE XXI

En quittant Bronstein et en récapitulant les deux
points essentiels de ses démarches, le rabbin dut
admettre tristement que tous les deux étaient plutôt
au désavantage du malheureux. Mme Bronstein était
couchée au moment où son mari rentrait de cette
soirée fatale. Certes, même si elle avait pu affirmer
qu'il avait son visage habituel, cela n'aurait guère
influencé l'opinion d'un juge : il est difficile d'ajouter
foi à la déposition d'une épouse, et, de toute façon,
il ne s'agissait que d'une impression. Et une image
pénible se dégageait de son entrevue avec le prisonnier : il le voyait soulevant sa femme dans ses bras
pour la déposer sur le siège d'une voiture. Il s'était
imaginé que c'était là quelque chose de malaisé, que
le meurtrier avait dû peiner pour transporter le corps
d'une auto à l'autre ou ailleurs, et ne voilà-t-il pas
que Mel Bronstein venait de lui apprendre que c'était
pour lui un exercice familier ?

Evidemment, Bronstein possédait une grande Lincoln, tandis que sa voiture était un modèle dit
« compact ». Néanmoins, en rentrant chez lui, il se
rendit directement au garage et étudia longtemps le

véhicule, le sourcil froncé, son mince visage d'intellectuel raidi dans un effort. Puis il appela soudain :

— Miriam !

Elle sortit aussitôt et se plaça près de lui en suivant la direction de son regard :

— La peinture est égratignée ?

Au lieu de répondre, il lui enlaça la taille d'un air absent. Elle eut un sourire de tendresse qu'il ne sembla même pas remarquer. De sa main libre, il ouvrit toute grande la porte de la voiture.

— Qu'y a-t-il, David ?

La lèvre inférieure tendue, il considérait attentivement le siège avant. Puis, sans un mot, il se pencha en avant et la souleva dans ses bras.

— David !

Chancelant, il approchait de la porte ouverte avec son fardeau.

Elle commença à pousser de petits gloussements de rire.

Il tenta de l'introduire dans la voiture pour la déposer sur le siège :

— Mets ta tête en arrière, ordonna-t-il.

Riant toujours, elle lui passa les bras autour du cou et rapprocha son visage de celui de son mari.

— Miriam, je t'en supplie...

Elle commença à lui bécoter l'oreille.

— Mais, Miriam, j'essaie de...

D'un air provocant, elle se mit à gigoter des jambes :

— Que dirait M. Wasserman s'il nous voyait ?

— Alors, on s'amuse ?

Ils se retournèrent : le commissaire Lanigan était à la porte du garage, un grand sourire aux lèvres.

Le rabbin laissa retomber sa femme. Il se sentait complètement ridicule :

— Je voulais juste faire une expérience, expliqua-t-il. Ce n'est pas commode d'installer un cadavre sur un siège de voiture.

— En effet. Mais bien que la jeune fille ait été plus lourde que Mme Small, Bronstein est beaucoup plus grand que vous.

— Ce doit faire une différence, admit le rabbin.

Une fois assis confortablement dans le salon, Lanigan lui demanda comment il avait trouvé Bronstein.

— Je ne l'ai vu que cet après-midi, mais il n'est pas homme à commettre un crime.

Lanigan eut un mouvement d'impatience :

— Rabbin, rabbin, quand vous aurez vu autant de criminels que moi, vous saurez que les apparences ne signifient rien. Croyez-vous qu'un voleur a un regard furtif ? Qu'un chevalier d'industrie a un regard faux ? Mais voyons, comment réussirait-il s'il ne savait vous fixer droit dans les yeux ? On appelle votre peuple le peuple du Livre, et je suppose qu'un rabbin est donc particulièrement érudit. J'ai beaucoup de respect pour les livres et pour les érudits, mon cher rabbin, mais dans un domaine comme celui-ci, c'est l'expérience qui compte.

— Mais si les apparences et les impressions sont trompeuses, elles se neutralisent toutes, dit le rabbin doucement. Et il est alors difficile d'expliquer comment fonctionne le système du jury. Sur quoi fondez-vous donc vos convictions ?

— Sur des preuves, monsieur le rabbin. Sur des preuves certaines, établies mathématiquement si c'est possible, ou sur des probabilités si ce ne l'est pas.

Le rabbin hocha lentement la tête, puis semblant passer à un autre sujet :

— Connaissez-vous notre Talmud ?

— C'est votre livre des lois, n'est-ce pas ? Est-ce que cela aurait un raport avec notre affaire.

— On ne peut pas dire que c'est exactement un code. Le Code juif, c'est le Pentateuque. Non, c'est un commentaire de la Loi, du Code. Je ne pense pas que notre affaire en relève, mais on ne peut être sûr du contraire car le Talmud contient à peu près tout. Je ne pensais pas pour l'instant à son contenu, mais à sa méthode d'enseignement. Lorsque j'ai commencé mes études à l'école religieuse — l'hébreu, la grammaire, la littérature, les Ecritures — je n'ai pas trouvé de différence avec une école ordinaire, c'est-à-dire que nous étions assis à des pupitres et le professeur à sa chaire. Il écrivait au tableau noir, il nous posait des questions, il nous donnait des leçons à apprendre chez nous et nous les faisait réciter en classe. Mais lorsque je suis arrivé au Talmud, tout a changé. Imaginez une grande table autour de laquelle prennent place les étudiants. Le professeur préside. En l'occurrence, c'était un homme âgé avec une longue barbe patriarcale. On lisait un passage, une brève stipulation de la Loi. Puis suivaient les objections, les explications, les arguments des anciens rabbins qui se sont efforcés d'interpréter le texte. Et avant même de savoir ce que nous faisions, nous ajoutions les nôtres, oui, nos propres arguments, nos propres objections des distinctions de coupeur de cheveu en quatre, des tours qu'on eût dit de passe-passe mais fondés sur une logique irréfutable, ce que nous appelons le « pilpoul ». Parfois, le professeur s'acharnait à défendre un point de vue tandis que nous le bombardions de questions, de contradictions. Imaginez un ours harcelé par une meute de chiens aboyants et qui n'en envoie bouler un que pour recevoir le choc de l'autre. Car à peine commencez-vous à discuter que des idées toujours nouvelles se présentent à vous. Je me rappelle l'un des premiers passages que j'ai étudiés de la sorte : comment estimer les dommages causés par l'incendie que provoque une étincelle qui s'échappe sous le marteau d'un forgeron ? Nous avons passé deux semaines sur ce cas, et nous l'avons quitté à regret, avec le sentiment que nous avions à peine effleuré la question. Le Talmud a eu une influence prodigieuse sur nous. Nos grands érudits ont consacré leur vie à son étude, non pas à cause du rapport que pouvaient avoir une interprétation exacte de notre Loi et le monde dans lequel ils vivaient, car bien des stipulations sont devenues depuis lettre morte, mais parce que cet exercice mental les a fascinés. Il les dressait à puiser dans leur esprit des idées de toutes sortes...

— Et vous voudriez utiliser cette méthode dans le cas qui nous intéresse ?

— Pourquoi pas ? Permettez-vous que j'examine la valeur des probabilités sur lesquelles vous fondez votre théorie ?

— Allez-y !

Le rabbin se leva et commença à arpenter la pièce :

— Nous ne commencerons pas par le cadavre, mais par le sac.

— Pourquoi ?

— Pourquoi pas ?

Lanigan eut un geste d'impuissance :

— J'accepte. Vous êtes le professeur !

— En fait, le sac présente un domaine plus étendu de recherche, car il intéresse trois personnes, tandis que le cadavre n'en concerne que deux : la jeune fille et son assassin. Avec le sac, j'entre en jeu puisqu'on l'a trouvé dans ma voiture.

— C'est juste.

— Examinons les probabilités qui expliquent la présence du sac là où on l'a découvert. Trois personnes peuvent l'y avoir laissé, la victime, le meurtrier, ou un tiers, c'est-à-dire un inconnu que personne ne suspecte.

— Allez-vous me faire apparaître un élément nouveau comme un prestidigitateur de sa manche ? demanda Lanigan d'un ton soupçonneux.

— Non, je considérais simplement toutes les possibilités.

On frappa légèrement à la porte et Miriam entra, portant un plateau :

— J'ai pensé qu'un peu de café ne vous ferait pas de mal.

— Excellente idée, madame Small, et restez donc avec nous, vous n'êtes pas de trop. Allons-y, rabbin ! Nous avons dressé la liste des personnes qui ont pu laisser ou placer le sac dans votre voiture. Où cela nous mène-t-il ?

— Il y a une question qui vient immédiatement à l'esprit : pourquoi avait-elle son sac ? Je suppose que c'est un geste automatique chez beaucoup de femmes.

— A tel point, dit Mme Small, que certaines attachent leur clé de porte d'entrée à l'intérieur de leur sac...

— Excellente remarque, chère madame. En effet,

une chaînette reliait sa clé à l'anneau de la fermeture
Eclair de la bourse intérieure.

Le rabbin conclut :

— Elle avait donc son sac parce que c'était plus
facile que d'en détacher la clé. Reprenons maintenant une par une les trois personnes dont nous avons
parlé. Eliminons tout de suite le tiers, l'étranger : imaginons en effet qu'il passe par hasard, qu'il aperçoive
le sac quelque part, par terre près de la voiture par
exemple. Il l'ouvre et n'y voit rien qui lui permette
d'identifier la propriétaire. S'il est malhonnête, il
empoche tout ce qui offre quelque valeur. Or il ne l'a
pas fait.

— Comment le savez-vous ?

Lanigan avait sursauté...

— C'est vous qui me l'avez dit : vous avez trouvé
dans le sac une grosse alliance en or. Un homme
malhonnête l'aurait prise. J'en déduis qu'il a dû laisser
également l'argent ou les autres objets tant soit peu
précieux.

— Il y avait de l'argent dans la bourse, admit
Lanigan : quelques billets et de la monnaie.

— Première constatation : nous n'avons pas affaire
à quelqu'un qui ouvre le sac, y vole ce qu'il y a de
précieux, et le rejette ensuite n'importe où pour qu'on
ne le trouve pas sur lui.

— D'accord, rabbin ! Mais ensuite ?

— Je continue à déblayer le terrain. Supposez maintenant que cet homme soit honnête. Il désire restituer
le sac à sa propriétaire. Il l'aurait mis dans ma voiture
parce qu'il l'avait trouvé à proximité, en pensant que
la propriétaire l'a laissé tomber en sortant, ou encore
que le conducteur connaîtra, lui, la personne à qui ce

sac appartient. Mais alors, pourquoi le jette-t-il sur le plancher, à l'arrière, au lieu de le mettre bien en évidence sur le siège avant, où le conducteur sera obligé de le voir ? J'aurais pu rouler des jours et des jours sans le découvrir...

— Donc, il n'y a pas eu d'étranger insoupçonné, honnête ou malhonnête. Mais je n'ai jamais dit qu'il y en avait eu un...

— Alors, passons à la jeune fille.

— Impossible. Elle était morte à ce moment-là.

— Comment en êtes-vous sûr ? Il semble que l'explication la plus vraisemblable soit qu'elle avait son sac avec elle, dans la voiture.

— Ah ! Rabbin, rabbin ! Rappelez-vous, il faisait chaud, la fenêtre de votre bureau était ouverte, n'est-ce pas ?

— Oui, mais les persiennes vénitiennes étaient fermées.

— A quelle distance de votre voiture étiez-vous ? Je vais vous le dire. La voiture était à six mètres cinquante de l'immeuble. Votre bureau est au second étage, soit à trois mètres cinquante de hauteur, disons quatre mètres cinquante pour arriver à la hauteur du rebord de fenêtre. Vous rappelez-vous le pont-aux-ânes de votre enfance, comment calculer l'hypothénuse d'un triangle rectangle en connaissant les deux autres côtés ? Votre fenêtre était à environ huit mètres de la voiture. Vous étiez à trois mètres cinquante de la fenêtre. Soit onze mètres cinquante en tout. Et vous n'auriez pas entendu le bruit de la querelle, un cri ?

— Le meurtre a pu avoir lieu après mon départ de la synagogue.

— Impossible. Vous avez dit que vous en êtes sorti

après minuit, à minuit vingt, avez-vous calculé. Mais
l'agent Norman remontait Maple Street vers le temple,
et à minuit vingt, ou peu après, il arrivait en vue de
la synagogue. Dès lors, il a surveillé le parking jusqu'à
une heure trois, quand il a appelé le poste de police.
Puis il a descendu Vine Street, la rue où habitent les
Serafino et que la jeune fille devait prendre pour
arriver au parking.

— Pourquoi pas plus tard ?

— Impossible ! Le médecin légiste a fixé vers une
heure le moment de la mort de la victime, avec vingt
minutes de battement dans un sens ou dans l'autre :
rigidité, température, etc. tout concordait. En inter-
rogeant Bronstein, nous avons appris qu'ils avaient
mangé un peu après le film, et on a déterminé avec
exactitude le degré de digestion des aliments : cela
aussi a donné le même résultat : on l'a tuée à une
heure du matin.

— Alors, j'étais si absorbé par ma lecture que je
n'ai rien entendu en dépit de la proximité de ma voiture. Rappelez-vous, les vitres des portières étaient
relevées, et s'ils ont fait attention à ne pas faire de
bruit en ouvrant et en refermant les portes, s'ils ont
chuchoté, je ne les ai pas entendus. Enfin, elle a été
étranglée : elle n'a donc pas crié.
Lanigan montra du doigt la calotte du rabbin :

— Comment appelez-vous ce truc que vous portez
sur le crâne ?

— Ceci ? Un *kipoh*.

— Eh bien, pardonnez-moi, mon cher rabbin, mais
vous travaillez du *kipoh* ! Pourquoi auraient-ils pris
tant de précautions puisqu'ils se croyaient seuls, sans
personne pour les entendre ? Et s'ils étaient sur place

avant la pluie, ils auraient baissé les vitres, naturellement. Et si c'était pendant la pluie, Norman les
aurait vus. De plus, rien n'indique que la jeune fille
soit rentrée dans votre voiture...

Il ouvrit sa serviette et en sortit quelques documents :

— Voici la liste de tous les objets qu'on y a trouvés.
Lisez, lisez ! Et voici un dessin représentant l'endroit
où chaque objet a été relevé. Voici l'emplacement du
sac. Voici celui du sac de plastique où votre femme a
jeté les feuilles de papier de démaquillage, et le rouge
à lèvres est bien le sien. A l'arrière, par terre, il y
avait une épingle à cheveux : elle appartient à votre
femme. Les bouts de cigarettes du cendrier avant sont
eux aussi maculés de rouge à lèvres, celui de votre
femme toujours, et on a trouvé une cigarette éteinte
dans le cendrier arrière, encore avec le même rouge à
lèvres...

— Un instant, fit Miriam... Oui, un instant. Le bout
de cigarette du cendrier arrière ne peut pas être à moi.
Je ne me suis jamais assise à l'arrière.

— Quoi ? Jamais ? C'est impossible.

— Mais non, dit doucement le rabbin. Je n'ai jamais
utilisé la banquette arrière. Je peux même dire que
depuis un an que nous possédons cette voiture, personne ne s'y est jamais assis, car nous n'avons jamais
eu l'occasion de prendre quelqu'un avec nous. Quand
je m'assieds dans la voiture, c'est pour conduire, et
ma femme se met naturellement à côté de moi. Qu'y
a-t-il d'étrange là-dedans ? Combien de fois vous êtes-
vous assis à l'arrière dans votre propre voiture, commissaire ?

— Le bout de cigarette n'est pas arrivé là tout seul.

Le rouge à lèvres est celui de votre femme, tout comme la marque de la cigarette. Regardez la liste du contenu du sac : vous n'y trouvez pas de cigarettes.

— Non, mais il y a un briquet. Elle fumait donc. Et quant au rouge à lèvres, vous m'avez dit qu'elle employait le même que ma femme, n'est-ce pas ? Elle était blonde, elle aussi.

Lanigan leva la main :

— Et l'épingle à cheveux ? Vous voyez bien que vous devez...

Miriam l'interrompit :

— L'épingle à cheveux est tombée en arrière, en effet, mais j'étais assise à l'avant.

— Je l'admets, je l'admets. Mais la question n'est pas éclaircie pour cela. Elle n'avait pas de cigarettes, du moins pas dans son sac.

— Non, mais il y avait quelqu'un avec elle, le meurtrier, et il avait des cigarettes, lui, du moins probablement.

— Voulez-vous dire qu'on a étranglé la victime dans votre voiture, monsieur le rabbin ?

— Précisément. La cigarette tachée de rouge prouve qu'une femme s'est assise dans ma voiture, à l'arrière. Et le sac qu'on a trouvé sur le plancher, lui aussi à l'arrière, établit qu'il s'agit d'Elspeth Bleech.

— Admettons-le. Admettons même qu'on l'a tuée dans votre voiture. Cela n'innocente pas votre ami Bronstein.

— Si, complètement.

— Parce qu'il avait sa propre voiture ?

— Eh oui ! Pourquoi serait-il entré avec sa Lincoln dans le parking de la synagogue pour s'installer dans ma voiture ?

— Il a pu la tuer dans la Lincoln et la transporter dans votre voiture.

— Vous oubliez la cigarette dans le cendrier. Quand Elspeth s'est assise à l'arrière, elle vivait encore.

— Il a pu la faire rentrer de force à l'intérieur.

— Pourquoi ?

Lanigan haussa les épaules d'un air embarrassé :

— Pour qu'il n'y ait aucune trace de lutte dans son propre véhicule.

— Vous n'accordez pas à cette cigarette toute sa valeur de témoignage. Si Elspeth l'a fumée en étant assise à l'arrière de ma voiture, c'est qu'elle était tout à fait détendue. Personne ne la tenait à la gorge, personne ne la menaçait. Et de plus, elle est d'abord rentrée chez elle pour ôter sa robe, et si elle avait dû revenir, pour une raison quelconque, à la voiture de Bronstein, pourquoi aurait-elle jeté un imperméable sur son manteau ?

— Parce qu'il pleuvait.

Le rabbin secoua impatiemment la tête :

— La Lincoln était juste devant la maison, à quinze mètres peut-être. Le manteau suffisait pour la protéger sur une distance aussi courte.

Lanigan se leva et commença à marcher de long en large. Le rabbin garda d'abord le silence pour le laisser réfléchir à son aise. Puis au bout d'un moment, il ajouta :

— Bronstein aurait dû avertir la police dès qu'il a appris ce qui était arrivé, soit. Auparavant, il n'aurait pas dû « draguer » cette jeune fille, pour employer son expresion. Mais sa situation conjugale explique parfaitement ses deux fautes. Ne trouvez-vous pas que cette arrestation provisoire, avec toute la publicité

attenante, est un châtiment suffisant ? Monsieur le
commissaire Lanigan, je vous en prie : relâchez-le.

— Et je demeurerais sans suspect ?

— Ce n'est pas vous qui parlez en ce moment.

Le commissaire avait rougi :

— Que voulez-vous dire ?

— Je ne vous crois pas homme à détenir quelqu'un
pour que la presse vous laisse respirer. De plus, votre
enquête s'en ressentira. Vous ne pourrez pas vous
empêcher de penser à Bronstein, d'échafauder des
théories qui l'insèrent dans une représentation quelconque des faits, de contrôler son passé, d'interpréter
tous les témoignages en raison de l'hypothèse qu'il a
peut-être trempé dans cette affaire. Et manifestement,
ce sera prendre une mauvaise direction...

— Et pourtant...

— Au fond, vous ne pouvez lui reprocher qu'une
chose : ne pas être venu vous trouver.

— Vous rendez-vous compte que l'avocat général
arrive demain matin pour l'interroger ?

— Eh bien, demandez à Bronstein de se présenter
au commissariat de lui-même, demain matin. Je me
porte garant de lui. Oui, je garantis qu'il viendra vous
trouver chaque fois que vous le désirerez.

Lanigan prit sa serviette :

— C'est bon. Je le relâche.

La main sur la poignée de la porte, il s'arrêta pour
réfléchir avant de se retourner :

— J'espère, monsieur le rabbin, que vous avez bien
compris qu'en innocentant Bronstein, vous n'avez pas
amélioré votre propre position...

CHAPITRE XXII

Al Becker n'était pas homme à oublier un service rendu. Le lendemain matin, il se rendit chez Abe Casson pour le remercier de ses bons offices.

— Si j'ai parlé à l'avocat général, je ne suis pas arrivé à grand-chose. Comme je vous l'ai dit, ce sont des cas qu'on traite beaucoup mieux à l'échelon local.

— Est-ce courant ?

— Oui et non. Il n'y a pas de ligne de démarcation très nette entre l'autorité des uns et celles des autres. Généralement, c'est la police de l'état qui s'occupe d'un meurtre. L'avocat général du district suit l'affaire naturellement. Et la police locale s'y intéresse elle aussi. Cela dépend beaucoup du caractère du chef de la police locale, de celui de l'avocat général, de la capacité de tous, du genre de l'affaire elle-même. Dans une grande ville comme Boston, ce serait la police de Boston qui prendrait tout en main. Ici, c'est indiscutablement Hugh Lanigan. C'est lui qui a donné l'ordre d'arrêter Mel et c'est lui qui l'a fait relâcher. Et je vais vous dire quelque chose : s'il l'a relâché, c'est à la suite de l'intervention du rabbin : ce dernier lui a fait apercevoir un point nouveau, lui a suggéré une

interprétation nouvelle peut-être. Oui, ce n'est pas
ordinaire qu'un flic admette que quelqu'un soit assez
intelligent pour lui indiquer la bonne voie. Mais Hugh
Lanigan n'est pas un flic comme les autres...

Al Becker ne pouvait plus en douter : le rabbin avait
parlé de l'affaire au commissaire. Il avait sans doute
glissé une remarque au cours de la conversation, suggéré une idée qui avait fait son chemin dans l'esprit du
policier. Mais de là à croire qu'il avait présenté une
défense en règle de Mel Bronstein, il y avait un pas
qu'il se refusait à franchir. Malgré tout, il jugea de
son devoir de lui rendre visite et de le remercier.

Une fois encore, leur rencontre devait presque
prendre l'allure d'un choc. Becker fonça droit sur
l'autre :

— J'ai compris que vous n'étiez pas étranger à la
libération de Mel Bronstein.

Tout se serait bien passé si le rabbin avait fait le
modeste. Au contraire, il mit le point sur l'i.

— Je crois que je l'ai fait relâcher.

— Eh bien, vous savez ce qu'est Mel pour moi. Il
est comme un jeune frère. Alors, vous devez comprendre que je vous suis très reconnaissant. Je n'ai
pas toujours été l'un de vos soutiens les plus actifs...

Le rabbin l'interrompit en souriant :

— Et vous voici un peu gêné. Vous avez tort, monsieur Becker. Je suis sûr que votre opposition n'a
jamais eu un caractère personnel. Vous estimez que
je ne suis pas l'homme qui convient pour la situation
que j'occupe. Vous avez tout à fait le droit d'avoir
cette opinion. J'ai aidé votre ami comme je vous
aurais aidé, vous ou quelqu'un d'autre qui se serait

trouvé dans le besoin, et je suis sûr que vous auriez agi comme moi dans les mêmes circonstances.

Bouillonnant, Becker téléphona aussitôt à Abe Casson pour le tenir au courant en disant :

— C'est un porc-épic ! Je me rends chez lui pour le remercier d'avoir aidé Mel et pour m'excuser plus ou moins de m'être opposé au renouvellement de son contrat, et il m'a fait comprendre poliment qu'il se fout de mon amitié et que si ça me chante, je n'ai qu'à continuer à l'attaquer !

— Ce n'est pas l'impression que je retire de votre récit, Al. Je crois que vous êtes trop malin pour comprendre un homme comme lui. Vous êtes habitué à lire entre les lignes et à deviner ce que pense votre partenaire en affaires. Pouvez-vous vous imaginer que votre rabbin ne lit que les lignes, lui, et qu'il dit exactement ce qu'il pense ?

— Oh ! Je sais bien que vous, Wasserman et Abe Reich ne voient que par lui. Pour vous autres, il ne fera jamais rien de mal...

— Dites donc, Al, il me semble que...

— Je ne dis pas qu'il ne nous a pas rendu service, à Mel et à moi, et je lui en suis reconnaissant. Mais de toute façon Mel s'en serait sorti demain ou après-demain, car ils n'avaient rien de précis contre lui.

— N'en soyez pas si sûr. Vous n'avez pas l'air de connaître la police de ce pays. Quand il s'agit d'un crime ordinaire, un innocent a de fortes chances de recouvrer immédiatement la liberté. Mais si la politique s'en mêle, ils commencent par se dire : envoyons-le donc devant le jury. S'il n'a rien fait, son avocat l'en tirera. Cela devient une partie de football entre l'accusation et la défense, avec l'accusé pour ballon.

— Oui, mais...

— Encore un mot, Al. Considérez l'affaire de sang-
froid dans sa nouvelle perspective. Qui est le principal
suspect ? Je vais vous le dire : c'est le rabbin ! Or
quelle que soit l'opinion que vous avez de lui, vous
ne pouvez pas le prendre pour un idiot. En tirant
Bronstein du piège, il a su parfaitement qu'il y entrait
à sa place. Pensez-y un instant, Al. Et puis demandez-
vous ensuite si le rabbin est un porc-épic...

CHAPITRE XXIII

Ce dimanche-là, il plut dès le matin, et le couloir et les salles de classe de l'Ecole du Dimanche s'emplirent d'une odeur d'imperméables et de caoutchoucs mouillés. De la porte d'entrée, Wasserman et Abe Casson contemplaient lugubrement le parking presque vide et les gouttes d'eau qui rebondissaient sur l'asphalte luisant.

— Il est dix heures et quart, Jacob. Je ne crois pas que nous tiendrons notre réunion aujourd'hui.

— Ils ont peur de sortir dès qu'il pleut un peu.

Al Becker les rejoignit :

— Abe Reich et Meyer Goldfard sont à l'intérieur, mais nous ne serons pas beaucoup plus nombreux.

— Attendons encore un quart d'heure, proposa Wasserman.

— S'ils ne sont pas ici maintenant, ils ne viendront jamais, grogna Casson.

— Et si on leur téléphonait ?

— Ce n'est pas ça qui les fera changer d'idée, dit Becker. Ils ont peur de la pluie.

Casson renifla d'un air ironique :

— Pensez-vous vraiment que la pluie est la cause

de leur absence ? Ils ne veulent pas se mouiller, soit, mais dans l'affaire que nous savons...

— Dans quelle affaire ? demande Becker. De quoi voulez-vous parler ?

— Je parle de la jeune fille qui a été assassinée, et du rapport qu'il y a entre ce meurtre et notre rabbin. Avez-vous oublié que nous devons voter aujourd'hui sur le renouvellement de son contrat ? Ces braves gens se sont dit : « Admettons qu'on vote pour lui, et qu'on découvre ensuite qu'il est coupable ? Que dirons nos amis, surtout les Chrétiens ? Quelle sera la répercussion sur la marche de nos petites affaires ? »

— Je n'avais pas pensé à cela, dit Becker lentement.

— Parce que vous n'avez pas pensé qu'il peut être l'assassin...

Après un instant de silence, Casson regarda fixement Becker :

— Dites-moi, Al, vous n'avez pas reçu de drôles de coups de téléphone ?

Wasserman haussa les épaules et répondit à sa place :

— Il ne faut pas faire attention à ça ! Ce sont des fous, des fanatiques, des bigots. Je raccroche purement et simplement.

Comme Becker ouvrait de grands yeux, Casson dit :

— J'imagine qu'ils téléphonent à Jacob parce qu'il est le président de la congrégation, et à moi parce que je suis un homme politique connu.

— Et qu'allez-vous faire ? demanda Becker.

— Rien. Quand on aura découvert le meurtrier, les coups de téléphone cesseront.

— Enfin, il faut faire quelque chose. Vous pouvez vous plaindre à la police ou au Conseil municipal.

— A quoi bon ? Il faudrait reconnaître la voix. Ce serait alors différent. Je vois que tout cela est du nouveau pour vous, mais pas pour moi. A chaque campagne politique, je reçois des coups de téléphone semblables. Le monde est rempli de demi-fous, d'hommes et de femmes amers, déçus, à· l'esprit dérangé. Individuellement, ils sont inoffensifs, mais collectivement... Ils écrivent des lettres d'insultes ou des obscénités aux journaux ou aux gens dont les journaux parlent, et s'il arrive quelque chose dans leur petite ville, ils téléphonent.

Wasserman consulta sa montre :

— Eh bien, messieurs, je crois qu'il n'y aura pas de réunion aujourd'hui.

— Ce n'est pas la première fois que nous n'atteignons pas le quorum, dit Becker.

Wasserman avait un petit sourire ironique :

— Et que dois-je dire au rabbin ? Qu'il attende gentiment une semaine de plus ? Et si nous n'atteignons pas le quorum la semaine prochaine ?

Becker rougit de colère :

— Eh bien, ce sera la semaine qui suivra, ou l'autre, ou l'autre encore. Bon Dieu, Jacob, vous avez gagné ; vous les avez, vos votes. A-t-il besoin d'une confirmation écrite ?

— C'est qu'il y a les opposants, vos amis...

— Ne vous occupez pas d'eux, dit Becker d'un ton rogue. Je leur ai dit que je votais le renouvellement du contrat.

Le soir même, Lanigan rendit visite au rabbin :

— J'ai voulu vous féliciter pour votre victoire. Selon mes informateurs, l'opposition s'est effondrée...

Le sourire du rabbin était assez triste :

— C'est vraiment faire son entrée par la porte de service.

— Je vous vois venir. Vous vous dites que vous devez votre réélection à ce que vous avez fait pour Bronstein. Eh bien, dans un cas pareil, c'est moi le professeur, rabbin. Vous autres Juifs, vous êtes très forts dans le Talmud, mais vous n'avez aucun sens politique, tandis que nous, Irlandais, nous sommes des génies à ce point de vue. Quand vous engagez une campagne électorale, vous voulez lutter pour des idées, et si vous perdez, vous vous consolez en pensant que vos idées étaient bonnes et que vous les avez exposées d'une manière raisonnable et logique. C'est certainement un Juif qui a proclamé qu'il préférait avoir raison que d'être élu président. Un Irlandais connaît bien mieux la musique : il sait que pour faire quoi que ce soit, il faut d'abord être élu ! Et le second grand principe est qu'on n'élit jamais un candidat d'après les critères logiques, mais à cause d'une quantité d'impondérables parmi lesquels il faut compter sa coupe de cheveux, le drôle de chapeau qu'il a sur le crâne ou son accent du terroir. C'est comme cela que nous opérons toujours, même pour élire le président des Etats-Unis, et d'ailleurs, c'est comme cela qu'un mari choisit sa femme. Dans une situation politique, ce sont les principes de la politique qui l'emportent. Ne vous plaignez jamais de la manière dont vous êtes élu, du moment que vous l'êtes.

— M. Lanigan a raison, intervint Miriam. Tu aurais pu avoir une situation équivalente ou meilleure dans un autre endroit, mais tu voulais rester à Barnard's Crossing. Et on te votera certainement une augmentation qui sera la bienvenue...

— Nous en avons déjà disposé, dit-il rapidement.

Le visage de sa femme s'allongea :

— Encore des livres ?

— Pas cette fois-ci. Dès que cette affaire sera réglée, je consacrerai un peu de ce supplément à l'achat d'une nouvelle voiture. La pensée de cette pauvre fille... Je ne peux pas m'empêcher de frissonner chaque fois que j'y pense, et je m'invente continuellement des excuses pour aller à pied plutôt qu'en voiture.

— C'est compréhensible, dit Lanigan, mais vous changerez d'avis quand nous aurons mis la main sur l'assassin.

— Où en êtes-vous ?

— On avance par-ci, on avance par-là...

— Ce qui veut dire que vous êtes au point mort.

— Une tasse de thé ? proposa Miriam. Et un autre sujet de conversation ?

— Voilà deux excellentes propositions, grommela Lanigan.

Le téléphone sonna, et bien que le rabbin fût très près de l'appareil, sa femme accourut aussitôt. Elle écouta un instant, puis dit d'une voix calme :

— Je regrette, mais vous vous trompez de numéro.

Comme elle raccrochait, le rabbin s'étonna :

— C'est extraordinaire : comment les gens peuvent-ils se tromper de la sorte ? Il n'y a que des faux numéros depuis deux jours.

Le regard de Lanigan alla du visage innocent du rabbin à celui, un peu rouge, de la femme. Etait-ce de la gêne ? De la colère ? De l'inquiétude ? Il lui sembla qu'elle secouait imperceptiblement la tête comme pour lui imposer silence, et il se tut.

On retrouvait presque toujours la même bande le soir, à la « Ship's Cabin ». Ils étaient parfois une demi-douzaine et le plus souvent trois ou quatre. Ils s'étaient surnommés les Chevaliers de la Table Ronde et avaient tendance à avoir la gaieté tapageuse. Alf Cantwell, le patron, se vantait de savoir faire régner l'ordre, mais il était assez coulant avec ces clients singuliers, et s'il leur arrivait de se quereller, cela se passait toujours entre eux. Quand il devait intervenir, ils le prenaient assez bien et ils revenaient le lendemain avec un sourire : « On est allé un peu fort hier soir, n'est-ce pas ? » Et le calme revenait pour un bon moment.

Ils étaient quatre autour de la table quand Stanley fit son entrée ce lundi à neuf heures et demie. Buzz Applebury, un grand gaillard efflanqué avec un long nez, artisan peintre en bâtiment, employait Stanley de temps à autre :

— Amène-toi, Stan, et bois un verre !

Stanley hésita. Au point de vue social, les Chevaliers de la Table Ronde étaient à l'échelon au-dessus du sien. Il y avait là Harry Cleeves, qui avait un petit atelier de réparations ; Don Winters, propriétaire d'une épicerie, et Malcolm Larch, courtier d'assurances. Lui, Stanley, n'était qu'un ouvrier.

— Mais viens donc Stan ! confirma Larch en se poussant sur le banc circulaire pour lui faire une place. Qu'est-ce que tu veux boire, vieux ?

— De la bière légère.

— T'as raison d'être sobre, mon garçon. On aura peut-être besoin de toi pour nous ramener chez nous.

Harry Cleeves, une sorte de géant blond, n'avait pas encore levé les yeux de son verre. Il fixa soudain Stanley avec gravité :

— Tu travailles toujours à l'église juive ?

— A la synagogue ? Oui.

— Et depuis longtemps, fit observer Applebury.

— Ça fait trois ans, dit Stanley.

— Et tu portes une de ces drôles de petites calottes qu'ils mettent pour prier ?

— Quand ils ont leur service.

Applebury se tourna vers les autres :

— Vous l'avez entendu : « Quand ils ont leur service ? »

— Comment sais-tu qu' t'es pas juif, alors ? demanda Winters.

Stanley les regarda l'un après l'autre. Décidé à prendre la chose plaisamment, il rit :

— Allons Don, c'est pas la calotte qui fait le Juif.

Applebury, d'un air de reproche, s'adressa à Winters :

— Naturellement, Don. Tout le monde sait bien que ce qui fait le Juif, c'est le bout de zizi qu'est coupé. Est-ce qu'ils t'ont coupé l' tien, Stan ?

Stanley se mit à rire :

— La bonne blague, dit-il.

— Fais attention, Stan. A force de t'associer avec

les Juifs, tu vas devenir si fort que t'auras plus besoin de travailler, comme eux.

Applebury intervint :

— Ils ne sont pas si forts que ça. J'ai travaillé pour l'un d'eux il n'y a pas longtemps. Il m'a demandé un devis et je l'ai augmenté d'un tiers pour discuter ensuite. Mais ce Juif s'est contenté de me dire : « J'accepte, mais faites du bon boulot, n'est-ce pas ? » Au fond, quand on pense que sa femme était tout le temps sur mon dos : « Vous ne pouvez pas faire une teinte un peu plus claire, monsieur Applebury ? » et : « Vous ne pouvez pas égaliser la plinthe, monsieur Applebury », mon prix a dû tomber juste. C'était une belle petite femme. Elle portait des pantalons noirs serrés comme ceux d'un toréador, et son petit cul se tortillait là-dedans que c'était parfois difficile d'avoir l'esprit au boulot.

Harry Cleeves l'interrompit :

— J'ai entendu dire que Lanigan va se faire juif.

Les autres éclatèrent de rire, mais il demeura extrêmement sérieux :

— Est-ce vrai, Stanley ? T'aurais pas remarqué qu'on prépare une cérémonie ?

— Non.

Malcolm Larch bâilla :

— A moi aussi, on m'a raconté quelque chose. C'est pas que Lanigan va s' faire Juif, non. C'est à propos de la fille assassinée. Il paraît que Lanigan et leur rabbin se sont mis d'accord pour faire disparaître toutes les preuves. Car le coupable, ce serait le rabbin.

Cleeves leva les yeux :

— Comment l'aurait-il tuée ? Et comment Lanigan va-t-il le couvrir si c'est vrai ?

— D'après ce qu'on m'a dit, ils ont d'abord voulu faire retomber la chose sur le dos de Bronstein parce qu'il n'était pas membre de leur secte. Mais Bronstein était très lié à un de leurs grands bonshommes, et il a fallu qu'il le relâchent. D'après les gens bien renseignés, ils cherchent maintenant un pauvre gars pour avoir quand même un coupable. Dis-moi, Stan, est-ce que le commissaire n'a pas essayé de te mettre dans le coup ?

— La bonne blague !

Il voulait rire encore, mais se sentait de plus en plus mal à l'aise.

Cleeves était très sérieux :

— Ce que j' comprends pas, c'est pourquoi il l'a tuée.

— On m'a dit que ça fait partie de leur religion, expliqua Winters.

— J'y crois pas beaucoup, à c' truc-là. Peut-être en Europe, ou dans une grande ville comme New York où ils sont tout-puissants et pourraient s'en tirer. Mais pas ici chez nous.

— Alors, qu'est-ce qu'il lui voulait, le rabbin, à cette jeune fille ?

— Ben, elle était enceinte, quoi ! Qu'est-ce que t'en dis, Stanley ?

— Vous êtes tous tombés sur la tête.

Ils se mirent à rire, mais Stanley sentait que l'atmosphère devenait irrespirable. Larch regarda sa montre :

— T'as pas un coup de téléphone à donner, Harry ?

C'est un peu tard, mais plus c'est tard, meilleur c'est...
N'est-ce pas Stan ?

De nouveau, tous éclatèrent de rire. Stanley aurait
bien voulu s'en aller, mais il ne savait comment. Il y
eut un silence : tous regardaient Cleeves qui, après
avoir fait un numéro de téléphone, disait quelques
mots. Il ressortit immédiatement de la cabine en
faisant un cercle du pouce et de l'index pour montrer
qu'il avait réussi son coup.

Stanley se leva pour permettre à Cleeves de regagner
sa place. Une fois debout, il jugea le moment venu de
mettre fin à son supplice :

— C'est l'heure de m'en aller...

— Ah ! reste un peu, Stan. Prends un autre verre.

— La soirée vient à peine de commencer, voyons.

Applebury l'avait pris par le bras, mais Stanley se
dégagea et se dirigea vers la porte.

CHAPITRE XXIV

Carl Macombel, président du conseil municipal, était d'un naturel soucieux. Depuis quarante ans, cet homme de taille élevée, sec, s'occupait de la ville. Les deux cent cinquante dollars qu'il recevait comme indemnité annuelle étaient loin de couvrir les longues heures qu'il consacrait chaque semaine à une tâche qui n'avait jamais de fin. Son affaire, une petite mercerie, en souffrait. A chaque élection, il devait subir l'assaut de sa femme qui le suppliait de ne pas se représenter. Et c'était chaque fois le même argument :

— Mais, Martha, il n'y a que moi qui connaisse la question. Voici dix ans que je négocie l'achat de ce domaine pour la ville...

Et auparavant, ç'avait été la construction de la nouvelle école, puis la constitution d'un département d'hygiène, etc. etc. Il était le type même du Yankee inflexible qui n'admet jamais qu'il puisse faire quelque chose par sentiment, l'amour de sa ville natale par exemple, et qui prétend que seule compte pour lui la joie de l'action pour l'action.

Quand on veut diriger une ville, disait-il, il ne faut pas attendre que les problèmes se posent : c'est alors

trop tard. Pour l'instant, l'affaire de l'assassinat et du
rabbin Small le préoccupait. Ce n'était pas quelque
chose à évoquer en plein conseil. Ce qu'il lui fallait
comme majorité, c'était trois voix seulement, la sienne
et celles d'Heber Nute et de Georges Collins, qu'il avait
convoqués aujourd'hui. Ils s'étaient retrouvés chez
lui, dans son salon, et après avoir parlé un peu de la
pluie et du beau temps, de la situation fédérale et de
celle de l'état, ils abordèrent le gros sujet :

— Cette affaire me préoccupe, leur confia-t-il. L'autre soir, je me trouvais par hasard à la « Ship's Cabin » et j'y ai entendu une conversation que je n'ai pas
aimée du tout. Je m'étais assis à l'écart, dans l'un des
compartiments, si bien que personne ne m'a vu. Il y
avait là les habituels traîneurs de bistrot qui se ras-
semblent pour parler et qui parlent pour écouter le
bruit de leur voix tout en avalant des pintes de bière.
Ils ont accusé le rabbin du meurtre, simplement, et si
la police ne l'arrête pas, c'est, disaient-ils parce qu'elle
est payée par les Juifs. D'après eux, Hugh Lanigan
et le rabbin sont de grands amis toujours fourrés l'un
chez l'autre.

George Collins, toujours souriant et expansif, l'interrompit :

— Il devait y avoir Buzz Applebury. Je l'ai fait
venir chez moi, l'autre jour, pour lui demander ce
que coûterait un coup de peinture autour des portes, et
il a commencé à me tenir ce genre de discours. Je me
suis moqué de lui en le traitant directement d'idiot.

— C'était Applebury, en effet. Mais il y avait avec
lui trois ou quatre gaillards qui semblaient tous de
son avis.

Heber Nute était un homme nerveux, irascible, toujours prêt à taper du poing sur la table. Sur son crâne chauve, une veine se gonflait à chacun de ses orages :

— Et c'est cela qui te préoccupe, Carl ? Bon Dieu, tu commences à faire attention à un type pareil ?

Il s'étouffait presque d'indignation à la pensée d'être dérangé pour une bagatelle.

— Tu as tort, Heber. Il ne s'agit pas seulement d'un imbécile comme Applebury. Les autres avaient l'air de trouver que ce qu'il disait était fort raisonnable. C'est un bruit qui court partout, paraît-il, et cela peut devenir dangereux.

— Et qu'est-ce que tu peux y faire ? demanda judicieusement Collins. A moins de l'appeler et de lui dire qu'il est un imbécile et ferait mieux de se taire.

— C'est ce qu'a fait George, et ça ne l'a pas guéri, gronda Heber Nute. Il y a certainement autre chose qui te préoccupe, Carl. Tu n'es quand même pas de ceux qui font attention à des Applebury.

— Il ne s'agit pas seulement de lui. J'ai entendu des remarques parmi ma clientèle, dans mon magasin. Je n'aime pas ça. Avec l'arrestation de Bronstein, tout semblait se calmer, mais il y a une flambée de racontars depuis qu'on l'a relâché. Ils en viennent tous à la même conclusion : si ce n'est pas Bronstein, c'est le rabbin, et si on ne poursuit pas le rabbin. c'est qu'il est l'ami de Hugh Lanigan.

— Hugh est la police incarnée, affirma Heber Nute. Il arrêterait son propre fils s'il était coupable.

— Est-ce que ce n'est pas le rabbin qui a innocenté Bronstein ?

— Si, mais les gens ne le savent pas.

Collins eut un geste d'insouciance :

— Tout cela s'arrêtera dès qu'on aura trouvé l'assassin.

— Il y a beaucoup de cas semblables où la police fait
chou blanc. Entre-temps, il peut y avoir du grabuge.

— Quel grabuge, Carl ?

— Les Juifs ont la peau sensible, et il s'agit de leur
rabbin.

Heber Nute explosa :

— Bon Dieu, nous n'allons pas mettre des gants
de chevreau parce qu'ils ont la peau sensible.

Macomber secoua la tête :

— Il y a plus de trois cents familles juives à Barnard's Crossing. Du fait que la plupart d'entre elles
vivent dans le faubourg de Chilton, vous pouvez estimer la valeur moyenne de leurs maisons à vingt mille
dollars chacune. La taxe est calculée sur la moitié de
la valeur, soit trois cents fois dix mille dollars, ou trois
millions. La taxe correspondante à trois millions de
dollars, cela fait du bruit, croyez-moi.

Nute leva les bras au ciel :

— Eh bien, si les Juifs s'en vont, des chrétiens les
remplaceront. Franchement, ça ne me gênera pas.

— Vous n'aimez pas beaucoup les Juifs, Heber ?
demanda Macomber.

— Je ne peux pas dire que je les adore.

— Ni les catholiques ni les nègres ?

— Je n'en fait pas mes amis.

— Et les Yankees ? dit Collins en riant.

Macomber se mit à rire :

— Il ne les aime pas non plus parce qu'il en est un.
Nous autres Yankees nous n'aimons personne, mais
nous tolérons tout le monde.

Même Heber Nute ne put s'empêcher de rire.

— Voilà pourquoi je vous ai demandé de venir. En quinze ans, il y a eu ici de grands changements. Nos écoles sont aussi bonnes que les meilleures, notre bibliothèque est un modèle dans son genre et dans sa dimension. Nous avons bâti un nouvel hôpital, des kilomètres d'égouts, nous avons pavé des kilomètres de rues, etc. etc. Les hommes qui ont réalisé tout cela sont aussi bien juifs que chrétiens. Et à Chilton, ce sont surtout des jeunes ménages qui, chrétiens ou juifs, se ressemblent plus qu'ils ne nous ressemblent, à nous de la Vieille Cité. Ce sont des familles d'ingénieurs, de cadres, de savants, et si elles se sont établies ici, ce n'est pas seulement pour être à une demi-heure de Boston et au bord de la mer, car il y a d'autres endroits. Nous avons gardé à Barnard's Crossing un peu de l'esprit du vieux fondateur, Jean-Pierre Bernard, ce réprouvé qui voulait être libre. Il y a eu des chasses aux sorcières à Salem, et celles qui ont pu sont venues se réfugier chez nous. Ici, il n'y en a jamais eu, et nous n'en voulons pas.

— Ce n'est quand même pas Buzz Applebury et ses pareils qui vous retournent les sangs, Carl ?

— Il y a des coups de téléphone, même au milieu de la nuit. Becker, de l'agence Ford, est venu me voir pour me faire une offre au sujet de la nouvelle voiture de police, mais il en a profité pour me prévenir. Lanigan n'en savait encore rien.

— Que pouvons-nous faire ?

— Si le conseil municipal prend vigoureusement position, cela mettra peut-être un terme à de pareilles pratiques. Puisque l'attaque se concentre sur le rabbin, j'ai pensé que nous pourrions profiter de cette cérémonie imbécile que nous a imposée la Chambre de commerce il y a deux ou trois ans : la bénédiction des régates. L'année passée, c'était un protestant, le docteur Skinner ; l'année d'avant, un catholique, monseigneur O'Brien et l'année précédente, un protestant, le pasteur Mueller. Annonçons que c'est le tour du rabbin Small, cette année.

— Mais tu es fou ! Carl. Les Juifs n'ont même pas un club nautique à eux. Et rappelle-toi que les Argonautes ont grincé des dents quand ils ont su qu'un évêque catholique allait bénir leurs bateaux...

— La ville fait beaucoup pour ses clubs nautiques. Si on leur dit que tout le conseil municipal est d'accord, ils se tairont.

— Bon Dieu, Carl, explosa Heber Nute, ce serait comme exiger d'eux qu'ils laissent baptiser leurs enfants au sécateur !

— Avant que la Chambre de commerce ait eu cette idée idiote, qui donc bénissait les bateaux ? Personne, n'est-ce pas. C'est que les bateaux n'ont pas besoin de bénédiction, et je n'ai pas remarqué qu'ils vont plus vite depuis qu'existe cette cérémonie. La seule chose qu'on pourra dire, c'est que la bénédiction du rabbin ne sert à rien... Mais croyez-vous que celles de l'évêque et des pasteurs ont plus de valeur ?

— Entendu, Carl. Que veux-tu qu'on fasse ?

— Rien pour l'instant. Il faut que je voie le rabbin. Ensuite, vous n'aurez qu'à m'appuyer si les deux autres membres du conseil font des histoires.

Joe Serafino, debout à l'entrée de la salle à manger, fit rapidement le compte des clients :

— Bonne soirée, Lenny.

— Oui, les affaires marchent ce soir...

Sans bouger les lèvres, le maître d'hôtel ajouta :

— Un flic, troisième table à partir de la fenêtre. Impossible de s'y tromper. Je les sens à distance. Ils ne nous lâchent plus depuis cette histoire. Mais c'est la première fois qu'il y en a un qui joue au client et commande une consommation.

Brusquement, Serafino se raidit :

— Que fait Stella ici, ce soir ?

— Elle veut vous parler. Je crois qu'elle voudrait bien avoir un travail régulier. Je lui ai dit que vous étiez occupé. mais elle a voulu vous attendre.

Sans répondre, Serafino commença à naviguer entre les tables, saluant les clients, approchant sans en avoir l'air de celle où Stella était assise :

— Qu'est-ce que tu fais là, petite ? Si tu veux du travail, tu n'as pas à faire la cliente.

— C'est Léonard qui a trouvé que ça ferait mieux que de rester debout dans l'entrée.

— Qu'est-ce que tu veux ?

— Je voudrais vous parler personnellement.

Il crut discerner dans sa voix une sorte de menace.

— Très bien. Où est ton manteau ?

— Au vestiaire !

— Va le prendre. Tu sais où je gare ma voiture : je t'y rejoins.

Il continua sa tournée des tables, puis s'esquiva par la porte de la cuisine. En s'installant derrière le volant, il ne perdit pas un instant :

— Alors, qu'est-ce que tu veux ?

— La police est venue me voir ce matin, monsieur Serafino.

— Qu'est-ce que tu leur as dit ?

Sa question avait jailli trop vite, et il se rendit compte de sa faute.

— Je n'étais pas chez moi. La femme chez qui je vis m'a donné un nom et un numéro de téléphone pour que je les appelle. Je voulais vous parler d'abord. J'ai peur.

— De quoi ? Tu ne sais même pas ce qu'ils te veulent.

Il vit qu'elle hochait la tête dans l'obscurité.

— Ils lui ont demandé à quelle heure j'étais rentrée cette nuit-là, la nuit que vous savez.

— Tu as travaillé ce soir-là, il est naturel qu'ils t'interrogent. Ils ont questionné tout le monde. Tu n'as qu'à leur dire la vérité : tu avais peur de rentrer seule et je t'ai reconduite vers une heure et quart.

— Mais il n'était pas une heure et quart, monsieur Serafino. J'ai regardé l'heure. Il n'était que minuit et demi...

Il sentit la colère l'envahir, mais aussi un peu de peur.

— Qu'est-ce que tu t'es mis dans le crâne, petite salope ? Tu voudrais me mêler à cette affaire de meurtre ?

— Je ne veux rien, monsieur Serafino. Mais il était minuit et demi, un peu plus tôt même quand vous m'avez déposée, car je suis rentrée à minuit et demi juste. Je ne sais pas très bien mentir, monsieur Serafino. Alors, si je pouvais partir pour New York où une de mes sœurs est mariée et y trouver du travail dans le spectacle, ils n'essaieraient peut-être pas de me rechercher s'il s'agit seulement d'une vérification de routine.

— Evidemment.

— Mais j'ai besoin d'un peu d'argent de poche,

monsieur Serafino : le voyage, et puis il serait préférable que je paie une pension chez ma sœur. Si je trouve du travail tout de suite, je n'aurai pas besoin de beaucoup : j'ai pensé que cinq cents dollars...

— Parce que tu veux me faire chanter, ma jolie... Il se pencha vers elle.

— Ecoute, tu sais parfaitement que je n'ai rien à voir dans l'affaire du meurtre.

— Je ne sais rien, monsieur Serafino.

— Mais si.

— Comme elle demeurait silencieuse, il changea de ton :

— Ton histoire de New York, c'est idiot. Si tu disparais, on te recherchera. Quant aux cinq cents dollars, oublie ça, ma petite. C'est le genre de fric que je porte jamais sur moi.

Il prit son portefeuille et en tira cinq billets de dix dollars :

— Pour un coup de main, d'accord. Et même un coup de main de temps à autre, mais jamais rien de gros, tu comprends ? Et si tu te comportes convenablement, on verra pour un boulot régulier au club. Mais ce sera tout, comprends-moi bien.

Elle fit non de la tête. Dans un éclair de la réclame lumineuse du toit, il aperçut son petit sourire suffisant :

— Si vous n'aviez rien à voir avec cette fille, vous ne m'offririez pas d'argent, monsieur Serafino. Et ce que vous m'offrez n'est pas assez.

— Ecoute, je vais t'affranchir une fois pour toutes, et je ne me répéterai pas. Je n'ai rien à voir avec cette fille, mais je suis un patron de boîte de nuit, c'est-à-dire du gibier de police. Ils peuvent m'embêter. Le gars Bronstein, pour rattraper ses clients, il n'a qu'à leur

faire de bonnes conditions. Moi, s'il m'arrive la même
chose qu'à lui, je peux fermer, immédiatement. Or je
suis marié et j'ai des enfants : tout cela ça vaut quelques dollars, une prime d'assurance pour m'éviter des
ennuis, mais rien de plus, comprends-tu.

Elle secouait la tête, mais quelque chose dans le
ton indifférent de l'homme commençait à l'inquiéter.
Très droit, il tapotait le volant de ses doigts et ne semblait même plus s'adresser à elle :

— Dans ce métier, on rencontre de tout. Alors, on
contracte des assurances pour avoir la paix. Admettons
que quelqu'un vous ennuie : on essaie d'abord de s'arranger à l'amiable. Si ce n'est pas possible, on pré-
vient son... agent d'assurances. C'est formidable ce
qu'on obtient avec une prime de cinq cents dollars. Et
si le travail concerne une jolie fille dans ton genre, il
y a des agents qui font des conditions spéciales, il y
en a même qui ne demandent rien. Figure-toi qu'il y
a des gars qui aiment s'amuser, surtout avec une jolie
fille... des drôles d'amusements...

Il la guignait du coin de l'œil...

— Comme je te l'ai dit, petite, moi j'aime rendre
service, je n'hésite pas à donner un coup de main à
un ami de temps à autre. Quand un ami a vraiment
besoin d'un travail, j'arrive presque toujours à lui en
trouver un. Et s'il a besoin de quelques dollars, disons
pour renouveler sa garde-robe, il peut s'adresser à moi.

Sans un mot de plus, il tendit la main.

Cette fois, elle prit l'argent.

CHAPITRE XXV

Macomber avait téléphoné pour être certain que le rabbin serait chez lui.

— Macomber ? Est-ce que nous connaissons un Macomber ?

— Il m'a dit que c'était au sujet d'une affaire municipale.

— Crois-tu que c'est le conseiller, le président ?

— Pourquoi ne lui demandes-tu pas quand il sera là ?

Elle se rendit compte de sa brusquerie. Depuis quelques jours, elle était de plus en plus nerveuse. Le rabbin la regarda sans mot dire.

Macomber refusa d'entrer dans le bureau. Il s'arrêta dans le salon :

— J'en ai pour un instant, monsieur le rabbin. Je voulais seulement vous demander si vous voulez participer à la cérémonie d'ouverture des régates.

— Participer ? Comment ?

— Vous savez qu'il y a des bateaux qui viennent de partout, du nord, du sud. Avant la première course, il y a une cérémonie avec orchestre, salut au drapeau, bénédiction de la flotte. Les années passées, nous avons

eu des ministres protestants, un évêque catholique.
Nous avons pensé qu'il était juste de faire appel cette
année au rabbin de notre ville.

— Je ne vois pas très bien ce que vous désirez que
je bénisse. Ce sont des embarcations de plaisance,
n'est-ce pas ? Y a-t-il du danger dans ces courses ?

— Certainement pas. Naturellement on peut toujours être précipité à l'eau, mais ça n'arrive pas
souvent.

Le rabbin semblait de plus en plus perplexe :

— Vous désirez que je prie pour la victoire ?

— C'est-à-dire que nous souhaitons que nos concitoyens soient les vainqueurs, mais ils ne représentent
pas notre ville, si c'est là ce que vous voulez dire. Non,
nous désirons que vous bénissiez les bateaux, non
seulement les nôtres, mais tous ceux qui se presseront
dans le port.

Le rabbin hésitait de plus en plus :

— Vous savez, je n'ai pas beaucoup d'expérience
dans ce genre de chose. Et puis nos prières n'ont que
rarement la forme d'une demande : elles sont presque
toujours des remerciements pour les bienfaits dont
nous bénéficions.

— Je ne comprends pas.

Le rabbin sourit :

— Comment pourrais-je vous expliquer ? Vous
autres chrétiens, vous dites : « Notre père qui es aux
Cieux, donne-nous aujourd'hui notre pain quotidien... »
Nous avons une prière comparable, mais très différente : « Sois béni, Seigneur, Toi qui fais naître notre
pain de la terre... » Je simplifie par trop, évidemment,
mais en général nous nous contentons de remercier
Dieu. Je pourrais donc Le remercier pour les bateaux

qui nous offrent les joies de régates. Mais c'est un
peu chercher midi à quatorze heures. Il faut que j'y
réfléchisse. Voyez-vous, les bénédictions, ce n'est pas
notre affaire.

Macomber se mit à rire :

— Je suis sûr que l'évêque et les deux ministres protestants ne se considèrent pas eux non plus comme
commerçants en bénédictions.

— Oui, mais les bénédictions sont plus leur fort
que la nôtre.

— Vous êtes quand même de la même profession ?

— Les traditions sont différentes. Monseigneur
O' Brien relève de celle d'Aaron : il a certains pouvoirs
magiques qu'il exerce en célébrant la messe, par
exemple en transformant magnifiquement le pain et
le vin en chair et en sang. Le docteur Skinner est protestant, et il s'inspire surtout des Prophètes. Moi, rabbin, je n'ai rien de la *mana* du prêtre, et Dieu ne me
parle pas comme à un prophète. Je ressemblerais plutôt à un Juge de la Bible.

— Ecoutez, monsieur le rabbin, ce qui nous intéresse, nous, c'est la cérémonie.

— Voulez-vous dire que personne n'écoutera la
prière ?

Encore une fois, Macomber se mit à rire :

— Je crains de vous offenser, mais c'est un peu ce
que je pense.

— Vous ne m'offensez pas. Ce qui m'importe, ce
n'est pas l'état d'esprit de ceux qui écouteront la prière,
mais le fait qu'une prière ne doit pas avoir un but
frivole.

Macomber semblait désappointé. Brusquement Miriam intervint :

— Vous semblez très désireux d'avoir mon mari à cette fête ?

Il tourna les yeux vers elle, observa un instant le dessin très ferme du menton, le regard assuré, et se décida à risquer la vérité :

— Ce meurtre de la synagogue a de fâcheuse répercussions. Depuis quelques jours surtout, il y a de sales ragots. Nous n'avons jamais rien eu de semblable dans notre ville et nous ne voulons pas que ça commence. Nous avons pensé mettre un terme à ces rumeurs en vous invitant solennellement à présider la cérémonie. Je sais que cette bénédiction est idiote : c'est la Chambre de commerce qui en a eu l'idée. Cela se fait dans des villages de pêcheurs, en Europe, car leur vie dépend de leurs bateaux. Ici, cela n'a aucun sens. Mais votre participation prouvera que nous, le conseil municipal, les personnes responsables de cette ville, désapprouvons cette campagne de calomnies.

— Je vous remercie du fond du cœur, monsieur Macomber. Mais peut-être noircissez-vous un peu la situation ?

— Non, croyez-moi. Vous n'avez encore rien remarqué, ou vous avez écarté l'incident comme l'acte d'un fou. Mais il n'est pas dit qu'on découvre un criminel, et entretemps, il se peut que des gens honorables, vos coreligionnaires, en souffrent. Ma cérémonie peut arranger un peu les choses. Acceptez-vous, monsieur le rabbin ? Non ? serait-ce contre votre religion ?

— En fait, oui. Il est écrit : « Tu n'invoqueras pas en vain le nom du Seigneur ton Dieu. »

Macomber se leva :

— Je n'ai plus rien à dire pour vous convaincre. Mais

réfléchissez-y : ce n'est pas vous seulement qui êtes en jeu, mais toute votre collectivité.

Ils étaient seuls quand le téléphone sonna. Miriam vit son mari prendre le récepteur, puir rougir fortement. Il reposa l'appareil et se tourna vers elle :

— Est-ce le genre de faux numéros dont nous sommes assaillis depuis quelques jours ? Est-ce toujours la même personne ?

— C'est tantôt une voix d'homme, tantôt une voix de femme, et jamais les mêmes, me semble-t-il. Parfois, on n'entend qu'une série de mots obscènes, mais la plupart du temps ils disent des choses horribles.

— Celui-ci voulait simplement savoir si nous avions besoin d'une victime humaine pour célébrer la Pâque. Il parlait comme une personne cultivée.

— C'est horrible. Comment peut-il exister des gens pareils dans une ville où il y a des hommes comme Hugh Lanigan et ce M. Macomber ?

— Ce sont des fous.

— Il n'y a pas seulement ces appels téléphoniques, David. En ville, les employés des magasins étaient si gentils, maintenant ils sont trop polis, et les clients cherchent à m'éviter. Que pouvons-nous faire ? Pourquoi ne t'adresserais-tu pas à Lanigan ? Et si tu acceptais l'offre de Macomber...

Sans répondre, il regagna le salon et s'y assit, les yeux fixes. Quand elle lui offrit de préparer le thé, il secoua la tête d'un air excédé. Une heure plus tard, il était toujours assis, regardant droit devant lui.

— Peux-tu m'ouvrir ma fermeture Eclair ?

Sans se lever, automatiquement, il fit fonctionner la fermeture, puis, semblant sortir d'un songe :

— Pourquoi te déshabilles-tu ?

— Parce que je suis exténuée et que je vais me coucher...

Elle s'interrompit net. Une voiture s'arrêtait devant leur porte. Ils attendirent quelques seconde, puis quelqu'un sonna. Tous deux se dirigèrent vers l'entrée, mais déjà la voiture démarrait. Dehors, il n'y avait personne, sauf les feux rouges d'un véhicule qui disparaissait dans la nuit.

Derrière elle, son mari poussa un gémissement étouffé. En se retournant, elle vit sur leur porte une croix gammée rouge d'où la peinture dégouttait comme du sang. Elle éclata en sanglots tandis qu'il tendait l'index puis regardait fixement la tache du bout de son doigt. Il prit sa femme par l'épaule, la serra contre lui :

— Jai peur, j'ai peur, David.

CHAPITRE XXVI

Bien que la photo du rabbin eût paru sur tous les journaux après le meurtre, Mme Serafino ne le reconnut pas immédiatement.

— Je suis le rabbin Small, madame. Je voudrais vous parler un moment.

Elle hésita un instant, car elle aurait voulu consulter son mari, mais il dormait.

— Est-ce à propos de l'affaire ? Parce que si c'est le cas, je ne pense pas que ce soit utile.

— Je suis venu pour voir sa chambre.

Il avait l'air si sûr de lui, si raisonnable qu'elle ne put refuser. Elle hésita un instant :

— Venez, c'est de l'autre côté de la cuisine.

Il jeta un coup d'œil circulaire sur l'ensemble de la pièce ; le lit, la table de nuit attenante, le bureau, le petit fauteuil. Il s'approcha de la table de nuit, parcourut les titres des livres de l'étagère, contempla un instant le petit poste radio en plastique. Puis il tourna le bouton et aussitôt une voix s'éleva :

— Ici la station Salem W.S.A.M., qui vous offre un programme de musique...

— Je ne pense pas que vous devriez toucher quoi que ce soit, dit Mme Serafino.

Il s'excusa en souriant et ferma le poste :

— Elle s'en servait beaucoup ?

— Tout le temps. Toujours cette musique de fous, ce rock and roll...

Comme la porte du placard était ouverte, il demanda l'autorisation de le voir. D'elle-même, Mme Serafino ouvrit la porte de la petite salle de bains.

— Je vous remercie, madame. Cela suffira.

Elle le reconduisit par le salon :

— Avez-vous vu quelque chose de particulier ?

— Je cherchais surtout à me faire une idée de cette jeune fille. Dites-moi, était-elle jolie ?

— Ce n'était pas une beauté. Les journaux l'on appelée « une blonde attirante », mais ce doit être la manière dont ils parlent de n'importe quelle femme. Et pourtant, elle était attirante dans son genre, c'est vrai. C'était une belle fille de ferme, nourrie au maïs, vous voyez le type ? Une taille forte, de fortes jambes, de fortes chevilles, de fortes cuisses... Oh ! Je vous demande pardon...

— Je vous en prie, chère madame. Je sais ce que c'est que des jambes et des cuisses. Dites-moi, avait-elle l'air heureux ?

— Je le pense.

— Et cependant, elle n'avait pas d'amis, n'est-ce pas ?

— Non, à part Celia qui travaille chez les Hoskins trois maisons plus bas, et avec qui elle allait au cinéma.

— Pas d'amis hommes ?

— Elle m'en aurait parlé, n'est-ce pas ? Vous savez ce que c'est que deux femmes seules dans une maison : elles parlent. Je suis certaine qu'elle n'avait pas d'amoureux. Et pourtant, les journaux ont dit qu'elle était enceinte. Il a bien fallu qu'il y ait un homme...

— Ce jeudi-là, il n'y a rien eu d'inhabituel ?

— Absolument rien. Elle s'est occupée des enfants, puis elle est sortie.

— Je vous remercie. Vous avez été très aimable.

Il était sur le trottoir quand elle le rappela :

— Monsieur le rabbin ! Voici Celia, jeune personne avec les deux enfants. Si jamais vous voulez lui parler...

Elle le vit se hâter, rattraper la gouvernante, l'aborder. Après quelques minutes de conversation, il revint sur ses pas pour remonter dans sa voiture et se diriger vers Salem, où il demeura une partie de l'après-midi, avant de rentrer chez lui.

M. Serafino se leva un peu après midi. Il prit un bain, puis se passant la main sur son visage hérissé d'un début de barbe noire, décida de se raser seulement dans la soirée avant de se rendre au club. Il descendit dans la cuisine, aperçut sa femme qui jouait avec les enfants dans la cour et lui fit signe de la main. Elle rentra aussitôt pour préparer son petit déjeuner. Pendant qu'elle s'affairait, il s'assit à la table de cuisine et parcourut les bandes dessinées de son journal.

— Sais-tu qui est venu ce matin ? Je te le donne en mille : le rabbin Small, du temple juif, celui qui possède la voiture où l'on a trouvé le sac d'Elspeth.

— Que voulait-il ?

— Me poser des questions sur elle.

— Il a du culot. Tu l'as envoyé paître...

— Non, je lui ai parlé. Pourquoi pas ?

Il la regarda avec stupeur :

— Parce qu'il est mêlé à l'affaire et que ce que tu sais sur elle fait partie des témoignages.

— Mais c'est un jeune homme si comme il faut, pas du tout le genre d'un rabbin. Je veux dire qu'il ne porte pas la barbe et qu'il est habillé comme tout le monde.

— C'est fini, tout ça. Te rappelles-tu le rabbin au mariage de Gold ? Lui non plus n'avait pas de barbe.

— Mais il n'était pas du tout solennel. C'était juste un jeune homme comme les autres. Il aurait pu être agent d'assurances ou vendeur de voitures, sauf qu'il n'est guère bavard. Mais il est bien élevé et poli. Il voulait voir la chambre de bonne.

— Et tu la lui as montrée ! Alors que la police t'avait dit de ne rien y changer ! Comment sais-tu maintenant qu'il n'a pas pris quelque chose, effacé une empreinte digitale, ou même laissé un objet derrière lui ?

— Je ne l'ai pas lâché d'une semelle, et il n'est resté que quelques secondes.

— Eh bien, moi, je vais prévenir la police et tout de suite.

— Pourquoi ?

— Parce qu'il s'agit d'un meurtre, comprends-tu ? Tout ce qui se passe dans cette chambre est important, et maintenant, j'espère que tu te tairas désormais, compris ?

— Mais tu es tout rouge. Pourquoi te fâches-tu ?

Il se rassit et se cacha derrière son journal. Elle mit une tasse et une soucoupe devant lui et versa le café. D'un seul coup, elle se sentait inquiète, mal à l'aise, troublée.

CHAPITRE XXVII

C'est sans surprise que le rabbin vit apparaître Hugh Lanigan aussitôt après dîner :

— Vous avez rendu visite aux Serafino dans la matinée.

Le jeune homme rougit et acquiesça de la tête.

— Joueriez-vous au détective, rabbin ?

Il tentait de prendre un air sévère, mais ne pouvait s'empêcher de s'amuser.

— Vous ne trouvez pas qu'on parle déjà beaucoup de vous ? Serafino s'imagine que vous êtes venu effacer une trace...

— J'en suis désolé. J'avais une idée que j'ai voulu contrôler.

Lanigan lui jeta un regard rapide :

— Allez-y !

— Oui... Dans tout l'affaire, il y a un début, un milieu et une fin. Voyez-vous, commissaire, l'autre jour, en commençant par le sac, j'ai l'impression que nous nous sommes trompés. Et je voulais reprendre l'affaire par le bon bout.

— C'est-à-dire ?

— Si je devais conduire l'enquête, je voudrais

d'abord savoir pourquoi cette jeune fille est ressortie après avoir été raccompagnée chez elle.

Lanigan réfléchit un instant, puis haussa les épaules :

— Elle a pu avoir de nombreuses raisons. Mettre une lettre à la poste, par exemple.

— Elle aurait ôté sa robe pour cela ?

— Il pleuvait. Elle n'a pas voulu la mouiller.

— Non. Elle aurait simplement enfilé un manteau ou un imperméable, ce qu'elle a fait d'ailleurs. De plus, la levée de la boîte aux lettres, celle du coin de la rue, a lieu à neuf heures et demie du matin. Ce ne peut être cela.

— Elle a peut-être voulu prendre l'air.

— Il pleuvait, commissaire. Et n'oubliez pas qu'elle avait été dehors toute la journée. Et enfin, nous nous heurtons toujours à la même objection : pourquoi a-t-elle ôté sa robe ?

— Vous le savez, vous ?

— Oui. Pour se coucher.

Le commissaire regarda le rabbin et nota la lueur de triomphe qui brillait dans ses yeux.

— Je ne comprends pas.

— Voyons, commissaire. Cette fille arrive du dehors. Il est tard, et elle doit se lever très tôt le matin. Elle ôte sa robe et la pend soigneusement dans le placard, mais voici que quelque chose l'interrompt. Imaginons que ce soit un message.

— Le téléphone ?

— Impossible. Tout le monde aurait entendu la sonnerie, et Mme Serafino aurait pris l'appareil au premier étage.

— Alors ?

— Il ne reste que la radio. Selon Mme Serafino, son

poste marchait continuellement. Pour les filles de cet âge, tourner le bouton du poste est un réflexe conditionné, aussi automatique que respirer. Je suggère qu'elle l'a tournée en entrant.

— Bon. Et quelle sorte de message a-t-elle pu recevoir ?

— A minuit trente-cinq, il y a une émission des nouvelles locales, provenant du poste de Salem W.S.A.N.

— Et vous voulez dire qu'elle a entendu quelque chose qui l'a fait ressortir sous la pluie ? Pourquoi ?

— Parce qu'elle voulait rencontrer quelqu'un.

— A cette heure-là ? Et comment savait-elle qu'elle allait le rencontrer ? Je connais le programme de cette station : elle n'accepte pas de messages personnels. Et si c'était pour rencontrer quelqu'un, pourquoi n'a-t-elle pas remis sa robe ? Franchement, rabbin...

— Elle n'a pas pris le temps de la remettre, parce qu'elle voulait être sur place à une heure du matin, dit le rabbin tranquillement. Et elle savait rencontrer cet homme parce qu'à cette heure précise, il téléphone de la borne de secours.

Lanigan le regarda avec des yeux ronds :

— Quoi ? Vous voulez parler de l'agent ? De Bill Norman ?

Le rabbin se contenta de confirmer d'un signe de tête.

— Mais c'est absurde. Il venait de se fiancer à la fille des Ramsay. Je suis allé aux fiançailles, le soir même d'ailleurs. J'étais l'un des hôtes d'honneur.

— Je le sais. Et c'est justement ce qu'a annoncé la radio. Je suis allé aujourd'hui à Salem pour le contrôler. Réfléchissez une minute et souvenez-vous qu'elle était enceinte. Selon tous ceux qui la connaissaient, on ne l'a vue qu'une fois en compagnie d'un homme, au bal des Policiers et des Pompiers. Je suggère qu'elle y a rencontré Norman. Voulez-vous contrôler ?

— Vous prétendez que l'enfant a été fabriqué ce soir-là ?

— Non. Le bal a eu lieu en février, c'est là qu'elle a fait la connaissance de Norman. Je ne sais pas comment ils se sont revus par la suite, mais je l'imagine fort bien. Un policier doit rappeler plusieurs fois son poste au cours d'une ronde, toujours à heure fixe, n'est-ce pas. Or, il ne marche pas tout le temps, on calcule qu'il se repose à certains moments.

— Evidemment, vous ne voudriez pas qu'il soit huit heures de suite sur ses pattes.

— C'est ce que j'ai découvert il y a quelques semaines en réglant un différend entre deux membres de notre congrégation. L'un d'eux devait entrer dans une maison dont il n'avait pas la clé. Il était tard. Il a retrouvé l'agent de service dans un café où il s'arrête tous les soirs.

— Cela fait partie de son service, rabbin. Et en hiver, quand il fait froid, une tasse de café n'est pas à dédaigner.

— C'est ce que je me suis dit. Puisqu'il doit faire des investigations en cours de route, ses appels téléphoniques aux bornes de secours doivent être suffisamment espacés pour lui donner un peu de liberté. J'en ai parlé à l'agent Johnson qui fait le même parcours de jour, et il m'a expliqué comment l'agent de nuit organise sa tournée. Il s'arrête par exemple chez le gardien du bloc Gordon, puis à la laiterie, puis chez Stanley, à la synagogue, quand ce dernier fait du travail supplémentaire. Puis c'est la demeure des Serafino, à cette heure-là, à part les enfants qui dorment, Elspeth est seule, toute seule, dans la maison. Voici un jeune policier plein d'ardeur, célibataire par-dessus le marché, qui doit appeler son poste à une borne placée à l'angle des rues Maple et Vine à une heure du matin, et qui passe devant Vine Street tout près de la maison des Serafino. Par les nuits froides d'hiver, rien ne pouvait lui sembler plus agréable que de s'arrêter chez une jeune fille pour boire une tasse de café chaud et discuter une bonne demi-heure avant de repartir dans les ténèbres.

— Et que faites-vous des jeudis ? Elle serait sortie avec lui.

— Pourquoi ? Elle le voyait tous les soirs. De plus, comme il avait son service de nuit, il dormait pendant la journée. Je pense qu'elle l'a aimé et a cru être payée de retour. Ce n'était sans doute pas une coureuse, cette jeune fille. Elle espérait le mariage. Rappelez-vous qu'elle refusait de sortir avec tous les autres hommes, même accompagnée de Celia. Elle se considérait comme sa fiancée.

Lanigan poussa un soupir.

— C'est ingénieux, je le reconnais. Mais il n'y a pas de preuve.

— Tout s'emboîte dès lors logiquement, et nous reconstituons les événements de ce jeudi d'une manière qui est enfin raisonnable : elle soupçonne qu'elle est enceinte, et elle profite de son jour de congé pour consulter un spécialiste. Elle s'habille avec soin et n'oublie pas de mettre une alliance. Etait-ce celle de sa mère ? L'a-t-elle achetée d'occasion quelque part en espérant qu'elle aurait bientôt le droit de la porter ?

Nul ne le saura jamais. Chez le docteur, elle déclare s'appeler Elizabeth Brown, non pas à cause de Bronstein, comme vous l'aviez supposé, mais parce que c'est un nom aussi courant que Smith et qu'elle conserve ainsi ses initiales. Le docteur l'examine et lui confirme qu'elle attend un enfant.

Or Bronstein nous a dit que lorsqu'il l'a aperçue au restaurant, elle consultait nerveusement sa montre comme si elle attendait quelqu'un. Elle a également attendu pour commander son menu, n'est-ce pas ? Je pense qu'ils se voyaient tous les jeudis soir quelque part et qu'elle lui avait téléphoné pour lui fixer un rendez-vous spécial.

— La secrétaire du docteur s'est souvenue qu'elle a demandé où il y avait une cabine téléphonique, dit Lanigan.

— Norman a dû lui dire qu'il essaierait de se rendre libre, et elle l'a attendu au « Surfside »:

— Et pourtant, elle a accepté l'invitation de Bronstein.

— Ne croyez pas qu'elle s'est sentie vexée quand il n'est pas venu, et peut-être inquiète ? Bronstein nous a raconté la scène. Il a choisi le bon moment. C'est un homme d'âge mûr, respectable, et elle n'a vu aucun danger à dîner avec lui. Après tout, elle se trouvait dans un lieu public. Au cours du repas, elle s'est dit que cet homme était gentil, décent, sérieux. Elle s'est laissée tenter et est allée au cinéma avec lui. Elle avait surtout besoin de compagnie, imaginez son état d'esprit. Il la ramène chez elle, elle commence à se déshabiller, et elle entend la radio annoncer les fiancailles de Norman !

— Or, elle sait que Norman doit téléphoner de la

borne située à l'angle de Maple et de Vine Street à une
heure du matin précise. Elle enfile son manteau, jette
son imperméable sur ses épaules parce qu'il pleut et
parce qu'elle doit parcourir plusieurs blocs, et elle se
précipite dehors. Est-ce bien cela, rabbin ?

— C'est ce que je crois, commissaire.

— Et alors, qu'est-il arrivé, d'après vous ?

— Il pleuvait, et à verse. Il avait vu ma voiture dans
le parking de la synagogue. Je suppose qu'il a proposé
à Elspeth de s'asseoir à l'intérieur pour discuter de
la question. Ils s'asseyent derrière et il lui offre une
cigarette. Ils ont parlé au moins le temps de la fumer ;
ils se sont disputés, sans doute. Peut-être l'a-t-elle
menacé d'aller trouver sa fiancée ? Il a attrapé le collier qu'elle portait et l'a tordu. Il ne pouvait pas laisser
le cadavre sur la banquette, car on lui aurait demandé
comment il ne l'avait pas vu en faisant sa ronde. C'est
alors qu'il aurait dû fournir par mal d'explications. Il
l'a transporté jusqu'à la pelouse et l'a caché derrière
le petit mur. Il n'a pas pensé au sac qui avait glissé
sur le plancher de la voiture.

— J'espère que vous vous rendez compte, monsieur
le rabbin, que vous n'avez pas un commencement de
preuve ?

Le rabbin eut un geste d'impuissance.

— ...Mais tout se tient, rabbin, tout se tient. Si elle
allait trouver les Ramsay, c'était la fin des fiançailles.
Je les connais, les Ramsay. Ce sont des gens propres,
fiers. Mais je croyais le connaître, lui aussi...

Il leva sur le rabbin un œil interrogateur :

— ...Et c'est chez les Serafino que vous avez contrôlé
tout cela, après l'avoir soigneusement mis au point
dans votre esprit.

— Pas exactement. J'avais un vague soupçon, mais quand j'ai vu le poste de radio dans la chambre d'Elspeth tout a commencé à prendre forme. Naturellement, j'avais un gros avantage sur vous. Dès le début, je me suis méfié de l'agent Norman.

— Comment cela ?

— Il a affirmé qu'il ne m'avait pas vu, mais moi je savais le contraire. Quelle raison pouvait-il avoir ? Il ne me connaissait pas personnellement, ce ne pouvait être de la simple antipathie. S'il admettait qu'il m'avait rencontré, il confirmait que j'avais quitté la synagogue avant le moment du meurtre. Rejeter le soupçon sur moi, ou sur quelqu'un d'autre, n'était-ce pas se disculper ? Mais pourquoi se disculpait-il ?

— Comment se fait-il que vous ne m'en ayez jamais dit un mot, monsieur le rabbin ?

— Ce n'était qu'un soupçon, et de plus, ce n'est pas facile pour un rabbin de désigner un homme et de dire qu'il est un assassin.

Lanigan garda longtemps le silence ; le rabbin soupira :

— Naturellement, nous n'avons encore aucune preuve.

— C'est le moindre de mes soucis.

— Que pensez-vous faire ?

— Je peux lui demander par exemple ce qu'Elspeth Bleech lui a dit au téléphone jeudi après-midi, ou pourquoi il n'est pas allé au rendez-vous qu'elle lui avait fixé au restaurant « Surfside ». Mais d'abord, je vais tout arranger pour que Celia le voie. D'après elle, Elspeth a dansé tout le temps avec le même homme lors du bal des Policiers et des Pompiers. Si notre théorie est juste, c'est Norman, et elle le reconnaîtra.

Puis nous interrogerons les Simpson qui habitent juste en face des Serafino. S'il lui rendait visite aussi souvent que nous le pensons, ils ont peut-être remarqué sa présence le soir très tard dans les parages.

Ses lèvres se détendirent dans un sourire imperceptible.

— Lorsque nous savons ce que nous devons chercher, mon cher rabbin, nous le découvrons sans trop de difficulté.

CHAPITRE XXVIII

Cette séance du conseil d'administration n'était pas comme les autres : le rabbin y assistait. Lorsque Jacob Wasserman était venu lui demander d'y participer, il avait paru touché, heureux et reconnaissant :

— Vous n'y êtes pas obligé, monsieur le rabbin. Nous ne vous en voudrons pas si vous ne venez pas à nos réunions ou à l'une d'elles. Nous voulons simplement que vous sachiez que, chaque fois que nous vous verrons, vous serez le bienvenu parmi nous.

Et maintenant, il assistait à son premier conseil. Il écouta attentivement la lecture que fit le secrétaire du compte rendu de la dernière séance. Puis ce furent les rapports des présidents des différentes commissions. Le débat principal porta sur une motion préconisant d'éclairer *a giorno* le parking pendant la nuit.

Al Becker en était l'auteur. Il se leva avec son impétuosité habituelle :

— Je me suis renseigné un peu partout. Il y a cet entrepreneur électricien qui a déjà travaillé pour nous ; je l'ai convoqué, il a examiné l'endroit et il nous a indiqué un premier prix, une simple estimation. Selon ce qu'il dit, il peut tout faire en deux jours. Il propose de mettre   soit trois lampadaires qui reviendront à environ mille deux cents dollars pièce, soit six phares montés sur le bâtiment lui-même. La seconde solution est meilleur marché, mais les six phares ne feront pas très beau... Quant à la différence de prix, elle est de six cents dollars, trois mille contre trois mille six cents. Puis il nous faudra un dispositif pour allumer et éteindre automatiquement. Ce ne sera pas très cher, mais il nous faut l'inclure dans le prix. Bref, nous aurons toute l'affaire pour cinq mille dollars au maximum.

Il y eut un grognement de désapprobation autour de la table, et Becker s'en irrita :

— Evidemment, c'est de l'argent, mais c'est nécessaire. Je suis heureux que notre rabbin soit avec nous aujourd'hui, car personne ne sait mieux que lui qu'il faut que notre parking demeure éclairé la nuit.

— Oui, mais pense à ce que ça va nous coûter par an, Al. Tu ne peux pas mettre des ampoules de soixante watts dans des appareils comme cela. Et en hiver, ils brûleront quatorze heures par jour.

— Est-ce que tu préfères que notre parking devienne un baisodrome ou qu'il s'y passe une nouvelle petite affaire comme celle dont nous venons de sortir ?

— En été, ces lumières vont attirer des milliards de moustiques.

— Eh bien, ils virevolteront autour d'elles et débarrasseront ainsi le parking.

— C'est une question de distance, Al. Tu sais bien que si les lumières attirent les moustiques, il y en aura partout.

Un autre membre intervint :

— Et que vont dire les voisins de la synagogue, Al ? Ils auront dans leurs fenêtres le reflet de cette grande lumière pendant toute la durée de la nuit.

Le rabbin murmura quelque chose. Wasserman se tourna vers lui :

— Que disiez-vous, mon cher rabbin ? Auriez-vous une idée sur la question ?

— Je pensais, dit-il timidement, qu'il n'y a qu'une entrée, n'est-ce pas, pour tout le parking. Pourquoi ne pas y mettre une barrière, une porte ?

Il y eut un silence soudain, prolongé. Puis tous commencèrent à parler ensemble, apportant de nouveaux arguments :

— Evidemment, les amoureux ne se couchent pas sur l'asphalte. C'est en voiture que ça se passe... Et si les voitures ne peuvent pas rentrer...

— Et il y a une haie et des buissons le long du trottoir. Il suffit de boucher l'entrée des voitures.

— Stanley la fermerait tous les soirs et l'ouvrirait le matin.

— Et si jamais Stanley était absent un soir et qu'une commission veuille se réunir, les membres n'auront qu'à parquer dans la rue...

Puis il y eut de nouveau un grand silence tandis que tous regardaient leur jeune rabbin avec respect et admiration.

Le rabbin était chez lui, un gros volume ouvert sur son bureau, quand sa femme frappa à la porte :

— C'est le commissaire Lanigan, mon chéri.

Il fit le geste de se lever, mais Lanigan entrait déjà.

— Ne bougez surtout pas, rabbin.

Puis, voyant le livre, il ajouta :

— J'espère ne pas vous déranger.

— Pas du tout.

— Eh bien, je n'ai rien de spécial à vous dire. Mais depuis que nous avons résolu cette affaire, figurez-vous que je regrette nos petites conversations. Je passais par ici, et, l'habitude aidant, je suis descendu de voiture, et me voici.

Le rabbin sourit de plaisir.

— Je suis en train de me battre contre un mauvais coup de l'administration. Ah ! ces gratte-papier ! Figurez-vous que tous les quinze jour j'envoie le rôle des appointements au service du contrôle pour vérification. J'y fait figurer le nombre d'heures de service de chacun de mes hommes, y compris les heures supplémentaires s'il y en a, le genre de travail qu'ils ont exécuté, etc.

— Et alors ? dit le rabbin.

— Eh bien, pour la première fois, on m'a renvoyé mon rôle en refusant de l'approuver...

Lanigan était tellement exaspéré qu'il ne maîtrisait plus sa voix :

— Savez-vous pourquoi ? Parce que j'y avait fait figurer l'agent Norman avec toutes ses heures de service. Le contrôleur prétend que je dois en déduire l'heure pendant laquelle il a tué Elspeth Bleech ! Et non seulement cela, mais toutes celles qui ont suivi jusqu'à son arrestation. Du fait qu'il était déjà un criminel, il ne pouvait plus figurer sur le rôle de la police ! Qu'en pensez-vous ? Franchement, je ne sais si je dois réclamer et me battre, ou laisser tout tomber.

Le rabbin fit la moue et jeta un coup d'œil sur le gros livre ouvert devant lui. Puis il eut un sourire :

— Voulez-vous que nous consultions le Talmud, commissaire ?

CET OUVRAGE A ÉTÉ REPRODUIT
PAR PROCÉDÉ PHOTOMÉCANIQUE,
L'IMPRESSION ET LE BROCHAGE
ONT ÉTÉ EFFECTUÉS PAR LA
SOCIÉTÉ NOUVELLE FIRMIN-DIDOT
MESNIL-SUR-L'ESTRÉE POUR LE
COMPTE DES ÉDITIONS U.G.E.
ACHEVÉ D'IMPRIMER LE 20 OCTOBRE 1988

Imprimé en France
Nº d'édition : 1402
Nº d'impression : 10510
Dépôt légal : avril 1983
Nouveau tirage, 1988